Antoine de Saint-E[...]
NACHTVLU[...]

14-1- 1987

When you're down and troubled,
And you need some loving care...
And nothing is going right....
Close you're eyes and think of us
And soon we will be there,
to brighten up even your darkest night

You just call out our names
And you know wherever we are
We'll come running to see you again
all you have to do is call
and we'll be there,
You've got a friend !

Hans en Rikki

Antoine
de Saint-Exupéry
NACHTVLUCHT

Vertaald door Hetty Renes

Uitgeverij C.J. Goossens BV

ISBN 90 6551 104 0
NUGI 301
3de druk 1986
Oorspronkelijke titel: Vol de nuit
Copyright © 1931 by Editions Gallimard, Parijs
Copyright Nederlandse vertaling
© 1982 by Uitgeverij C.J. Goossens BV, Tricht
Omslagontwerp van Robert Nix
UNR 0018-3

Verspreiding voor België:
Standaard Uitgeverij
Belgiëlei, Antwerpen

Opgedragen aan Didier Daurat

I

Onder het vliegtuig trokken de heuvels reeds hun donkere spoor in het goud van de avondhemel. De vlakten begonnen gloeiend op te lichten, maar dan wel met een onuitputtelijk licht: in dit land hielden ze nooit op hun gouden gloed af te geven, net zo min als na de winter hun sneeuw.

En vlieger Fabien die vanuit het verre zuiden de post van Patagonië naar Buenos Aires bracht, herkende de nadering van de avond aan tekenen alsof de hemel het water van een haven was: die kalmte, die lichte rimpeling waartegen de stille wolken zich ternauwernood aftekenden. Hij liep een immense, gelukzalige rede binnen.

Hij had, in deze rust, ook kunnen denken dat hij een langzame wandeling maakte, bijna als een herder. De herders van Patagonië trekken zonder zich te haasten van de ene kudde naar de andere: hij trok van de ene stad naar de andere, hij was de herder van de stadjes. Om de paar uur kwam hij ze tegen—ze lesten hun dorst aan de oevers van rivieren, of graasden op hun vlakten.

Soms, na honderd kilometer steppelandschap, verlatener nog dan de oceaan, vloog hij over een eenzame boerderij die, als ze achter hem weggleed, haar lading mensenlevens scheen mee te voeren over de deinende weidemassa. Dan groette hij met zijn vleugels dat schip.

'San Julian is in zicht; we landen over tien minuten.'

De telegrafist gaf het bericht door aan alle stations van de route. Verspreid over vijfentwintighonderd kilometer, van de Straat van Magallaan tot aan Buenos Aires, rijgen vrijwel eendere landingsbanen zich aaneen. Maar dit veld doemde op langs de grenzen van de nacht, zoals in Afrika achter het laatste gekoloniseerde gehucht de geheimzinnigheid begint.

De telegrafist gaf de vlieger een briefje: 'Er zit zoveel onweer in de lucht dat mijn ontvangst gestoord is. Blijf je in San Julian overnachten?'

Fabien glimlachte: de hemel was zo kalm als een aquarium en alle vliegvelden voor hen meldden: 'onbewolkt, windstil.'

Hij antwoordde: 'We vliegen door.'

Maar de telegrafist was van mening dat ergens in

de nacht onweer verscholen lag, zoals wormen zich verstoppen in een vrucht. Het beloofde een mooie nacht te worden, maar ook een verraderlijke, en het stond hem tegen die duisternis in te gaan en daar misschien op een wormstekige plek te stuiten.

Toen hij met langzaam draaiende motor de daling naar San Julian had ingezet, voelde Fabien zich opeens moe. Alles wat het leven voor mensen prettig maakt, rees steeds hoger voor hem op: hun huizen, hun cafeetjes, de bomen langs hun lanen. Hij was als een veroveraar die na een leven van overwinningen neerziet op de landerijen van zijn rijk en daar het simpele geluk van de mensen ontdekt. Fabien verlangde ernaar de wapens af te leggen, zijn moeheid en zijn stijve spieren te voelen, want ook in je klachten kun je rijk zijn, en hier te leven als een eenvoudig man die vanuit zijn venster een van nu af aan roerloos beeld aanschouwt. Hij zou dit kleine dorp hebben geaccepteerd zoals het was: wanneer je eenmaal gekozen hebt, stel je je tevreden met je levenslot en kun je er van houden. Het legt je beperkingen op, net als de liefde. Fabien had hier lange tijd willen blijven, hier zijn aandeel in de eeuwigheid willen opnemen, want de stadjes waarin hij een uur doorbracht en de tuinen met hun oude muren die hij kruiste, leken voor eeuwig buiten hem om voort te zullen bestaan. Het dorp kwam steeds dichter bij en legde zich voor de bemanning open. Fabien dacht aan vriendschap, aan lieve meisjes, aan de intimiteit van witte tafellakens, aan alles wat zich langzaam gereedmaakt voor de eeuwigheid. Het dorp snelde al rakelings onder de vleugels door en onthulde het geheim van zijn tuinen die nu niet door hun muren werden beschermd. Maar toen hij eenmaal geland was, wist Fabien dat hij niets had gezien, niets dan het trage bewegen van een paar mensen tegen een stenen decor. Dit dorp weigerde, alleen al door zijn onbeweeglijkheid, zijn hartstochten prijs te geven, weigerde zijn stille vreugden te tonen: om die te ontdekken zou hij zijn leven van actie vaarwel moeten zeggen.

Toen de tien minuten van de tussenlanding voorbij waren, moest Fabien weer vertrekken.

Hij draaide zich om naar San Julian: het dorp was niet meer dan een handvol lichtjes, een stuk of wat sterren, tot ook de laatste vage lichtpuntjes die nog eenmaal zijn verlangen opwekten, in de duisternis oplosten.

'Ik kan de instrumenten niet meer zien, ik doe het licht aan.'

Hij drukte op de knoppen, maar in het blauwe avondlicht wierpen de rode lampen van de cockpit zo'n vaag schijnsel over de meters en wijzers dat ze er niet door oplichtten. Hij hield zijn vingers voor een gloeilamp: ze veranderden nauwelijks van kleur.

'Te vroeg.'

Toch kwam de nacht opzetten, als een dikke donkere rook vulde hij de valleien, die niet meer van de vlakten te onderscheiden waren. In de dorpen gingen de lichten al aan, het werden sterrenbeelden die met elkaar in contact leken te staan. En met een gebaar van zijn vinger liet hij zijn navigatielichten knipperen en seinde terug naar de dorpen. De aarde was omspannen door lichtsignalen, elk huis ontstak zijn ster tegenover de eindeloze nacht, zoals een vuurtorenlamp wentelt over de zee. Alles waarachter menselijk leven schuilging fonkelde en glinsterde al. Met bewondering zag Fabien hoe de overgang naar de nacht dit keer verliep, langzaam en fraai, als het binnenlopen in een rede.

Hij boog zich voorover in de cockpit. Het radium van de wijzers begon op te lichten. De piloot controleerde een voor een de meters. Alles was in orde. Hij stelde vast dat hij stevig in de lucht hing. Hij liet zijn vinger over een stalen spant glijden en voelde hoe door het metaal zachtjes leven stroomde: het trilde niet, het leefde. De 500 PK van de motor veroorzaakten in het metaal een lichte trilling die het koude, gladde oppervlak in een fluwelen huid veranderde. En ook dit keer onderging de piloot bij het vliegen geen duizeling, geen roes, maar de geheimzinnige werking van trillend vlees.

Hij had nu een eigen wereld om zich heen geschapen en moest zich daarin bewijzen om zich op zijn gemak te voelen. Zijn vingers gleden over het schakelbord en raakten een voor een de knoppen aan. Hij ging wat verzitten, leunde achterover en zocht

11

de beste positie om het evenwicht te voelen van de vijf ton metaal die door de beweeglijke nacht werden gedragen. Daarna tastte hij om zich heen, duwde de noodlamp op haar plaats, liet haar los, pakte haar weer op, zorgde ervoor dat ze niet kon wegglijden en liet haar opnieuw los, om iedere knop en handel te bevoelen, om ze trefzeker te kunnen vinden en zijn vingers blindelings de weg te leren in de duisternis. Pas toen zijn vingers feilloos gehoorzaamden stond hij zichzelf toe een lamp te ontsteken, zijn cockpit versierd te zien met duidelijk zichtbare instrumenten. Hij zag nu alleen nog op de meters hoe hij de nacht binnenvloog, als een duik in het duister. Aangezien er niets weifelde, trilde of heen en weer bewoog, en de gyroscoop, de hoogtemeter en het toerental van de motor constant bleven, strekte hij zich wat uit, liet zijn hoofd tegen het leer van de stoel rusten en verzonk, zoals zo dikwijls tijdens een vlucht, in een diepe overpeinzing waarin hij zich overgaf aan een onbestemd verlangen.

En dan ontdekte hij, als een nachtwaker in het diepst van de duisternis, hoe de nacht de menselijke aanwezigheid verraadt: die signalen, die lichtjes, die onrust. Die simpele ster in het duister: de verlatenheid van een huis. Er dooft een licht: een huis sluit zich op rond zijn eigen liefde. Of rond zijn eigen verdriet. Het geeft niet langer signalen door aan de rest van de wereld. Ze weten niet waarnaar ze verlangen, die boeren die leunen op hun door een lamp verlichte tafel; ze weten niet hoe ver hun hoop reikt, in die donkere nacht die hen omsluit. Maar Fabien ontdekt het als hij van duizend kilometer ver komt en zijn ademende machine voelt deinen op de golven van lucht, nadat hij door tien onweersbuien, als slagvelden, getrokken is, afgewisseld door maanverlichte vlakten, om dan met een gevoel van overwinning het een na het ander, die lichten te bereiken. Die mensen denken dat de lamp alleen maar over hun bescheiden tafel schijnt, maar op tachtig kilometer van hen vandaan wordt het signaal van dat licht opgevangen alsof ze het wanhopig heen en weer zwaaien vanaf een onbewoond eiland tegenover de volle zee.

II

Zo keerden de drie postvliegtuigen uit Patagonië, Chili en Paraguay vanuit het zuiden, het westen en het noorden terug naar Buenos Aires. Daar werd op hun vracht gewacht voor het vliegtuig naar Europa dat tegen middernacht zou vertrekken.

Drie vliegers, ieder op het achterdek van een zwaarbeladen schuit, onzichtbaar in de nacht, waren nu met hun gedachten bij de vlucht en zouden vanuit hun woelige of kalme hemel afdalen naar de uitgestrektheid van de stad, langzaam, als de wonderlijke gedaanten van boeren die van de hellingen naar de vlakte komen.

Rivière, de chef van het hele luchtnet, ijsbeerde over het vliegveld van Buenos Aires. Hij was weinig spraakzaam: tot alle drie vliegtuigen binnen waren, was de afloop van deze dag voor hem onzeker. Iedere keer dat er weer een nieuw telegram bij hem binnenkwam, besefte Rivière dat hij bezig was het lot iets te ontfutselen, het ongewisse terug te dringen, zijn bemanningen vanuit de nacht op de oever te trekken.

Een employé hield Rivière aan om hem een bericht door te geven van het radiostation: 'Het toestel uit Chili meldt dat de lichten van Buenos Aires in zicht zijn.'

'Mooi.'

Rivière hoorde het toestel naderen: de nacht gaf er een vrij, zoals de zee met haar eb, haar vloed en haar mysteries op het strand de schat prijsgeeft die ze zo lang verborgen heeft gehouden. Later zou ze ook de twee andere overdragen.

Pas dan zou deze dag tot een goed einde zijn gebracht. De vermoeide bemanningen zouden gaan slapen en door verse krachten worden afgelost. Maar ook dan zou Rivière geen rust hebben: het toestel naar Europa zou hem vervullen van nieuwe bezorgdheid. Zo zou het altijd blijven. Altijd. Voor het eerst merkte de oude krijger dat hij vermoeid was. Nooit zou de aankomst van de vliegtuigen de overwinning zijn die de oorlog beëindigt en een tijdperk van weldadige vrede inluidt. Nooit zou hij een stap kunnen doen die niet gevolgd zou worden door duizenden identieke stappen. Rivière voelde zich alsof hij sinds lang een zware last torste, met alle kracht van zijn gestrekte armen: een inspanning zonder rustpauze, zonder eind. 'Ik word oud.' Hij zou pas oud worden zodra hij in de actie alleen niet langer voldoening zou vinden. Het verbaasde hem dat hij nadacht over problemen die nog nooit bij hem waren opgekomen. Maar steeds weer kwamen ze op hem af, met een weemoedig gefluister, al die goede dingen van het leven die hij steeds op een afstand had gehouden: een weggeëbde oceaan. 'Is dat alles al zo dichtbij?' Hij besefte dat hij alles wat een mensenleven zoet maakt, beetje bij beetje voor zich uit had geschoven, naar de ouderdom, 'wanneer hij er tijd voor zou hebben'. Alsof je werkelijk eens de tijd zult hebben, alsof je aan het eind van je leven die vrede en rust zult vinden waarvan je hebt gedroomd. Maar er is geen vrede. Er is misschien zelfs geen overwinning. Want nooit zullen alle koeriers voor eens en altijd veilig binnen zijn.

Rivière bleef staan bij Leroux, een oude werkmeester die druk bezig was. Ook Leroux was al veertig jaar aan het werk. Een arbeid die al zijn krachten opeiste. Als Leroux 's avonds om een uur of tien, of tegen middernacht, thuiskwam, wachtte hem geen andere wereld, geen mogelijkheid tot ontsnapping. Rivière glimlachte tegen de man die zijn ernstige gezicht ophief en op een blauw geworden as wees. 'Die zat lelijk vast, maar ik heb hem los gekregen.' Rivière boog zich over de as—hij ging weer op in het werk. 'We moeten de monteurs zeggen dat ze die onderdelen niet zo vast aanzetten.' Hij ging met zijn vingers over de plek waar het

lager uitgelopen was, keek toen opnieuw naar
Leroux. Er welde een vreemde vraag naar zijn lip-
pen bij het zien van dat strenge, gerimpelde gezicht.
Hij moest er zelf om glimlachen:

'Heb jij je in je leven veel met de liefde bezig-
gehouden, Leroux?'

'De liefde? Ach, weet u meneer de directeur...'

'Je bent net als ik, je hebt er nooit tijd voor
gehad.'

'Niet veel, nee.'

Rivière lette op de klank van zijn stem om te
horen of er verbittering in het antwoord doorklonk.
Maar dat was niet het geval. Als deze man omzag
naar het leven dat hij achter zich had, dan voelde hij
de kalme tevredenheid van een meubelmaker die net
een mooie plank heeft gepolijst: 'Ziezo, dat is af.'

Zo is het ook met mijn leven, dacht Rivière, het
is af.

Hij zette alle droefgeestige gedachten die door
zijn vermoeidheid bij hem waren opgekomen opzij
en liep naar de hangar, want hij hoorde het vliegtuig uit Chili al ronken.

III

Het geluid van die motor in de verte zwol gelei-
delijk aan, werd steeds intenser. De baanverlichting
ging aan. De rode lampen van de bebakening
belichtten de omtrek van een hangar, van radiomas-
ten, van een vierkant terrein. Hier was een feest in
voorbereiding.

'Daar is hij!'

Het vliegtuig was al de lichtbundel van de bakens
binnengerold en glansde alsof het splinternieuw
was. Maar terwijl het al voor de hangar tot stilstand
was gekomen en de monteurs en helpers zich haast-
ten de post uit te laden, bleef vlieger Pellerin roerloos zitten.

'Wat is er? Waarom kom je er niet uit?'

De vlieger, bezig met een of ander karweitje, verwaardigde zich niet te antwoorden. Misschien hoorde hij nog steeds het lawaai van de motoren tijdens de vlucht. Traag hief hij zijn hoofd op en bleef, voorovergebogen, aan iets wriemelen. Eindelijk draaide hij zich om naar zijn chefs en zijn kameraden en nam hen ernstig op, als waren ze zijn eigendom. Het leek wel of hij hen telde, hen opmat en woog, en hij bedacht dat hij hun aanwezigheid ten volle had verdiend, net als die feestelijk verlichte hangar en dat solide cement en, verderop, de stad met haar drukte, haar vrouwen, haar warmte. Hij hield al die mensen in zijn grote handen als onderdanen, hij kon ze immers aanraken, naar ze luisteren, op ze schelden. Het eerste wat bij hem opkwam was om eens flink tegen ze tekeer te gaan zoals ze daar rustig, zeker van hun bestaan, naar de maan stonden te staren. Maar in plaats daarvan zei hij goedmoedig: 'Haal de drank maar te voorschijn.' En hij stapte uit.

Hij wilde over zijn reis vertellen; 'Als jullie eens wisten!'

Kennelijk vond hij dat hij hiermee genoeg had gezegd en liep weg om zijn leren uitrusting af te leggen.

In de wagen naar Buenos Aires, in gezelschap van een sombere inspecteur en een zwijgende Rivière, werd hij triest: het luchtte op om, als je het karwei had geklaard en eenmaal weer aan de grond stond, een flinke scheldtirade af te steken. Een machtig gevoel! Maar als je er dan aan terugdenkt, bekruipt je een ondefinieerbare twijfel.

Het gevecht in de cycloon was tenminste echt en eerlijk. Maar niet het gezicht dat de dingen aannemen zodra ze zich onbespied wanen. Hij dacht: 'Het is precies als bij een opstand: gezichten die nauwelijks verbleken, maar hoe veranderen ze!'

Hij probeerde het zich te herinneren.

Hij vloog rustig boven de Cordillera de los Andes. De wintersneeuw rustte stil op de bergkammen. De sneeuw had vrede gebracht over deze woeste massa, zoals de eeuwen dat over verlaten burchten hadden gedaan. Over tweehonderd kilometer geen mens, geen spoor van leven, van menselijke inspanningen. Maar wel loodrechte bergkammen waar je op 6000 voet overheen scheert, wel stenen mantels die recht naar beneden vallen, wel een ontzagwekkende rust.

Het was ergens in de buurt van de Tupungato...

Hij dacht na. Ja, daar was het, daar was hij getuige geweest van een wonder. Want eerst had hij niets bijzonders gezien, had hij zich alleen wat onbehaaglijk gevoeld als iemand die zich alleen waant maar het niet is, die bespied wordt. Hij had zich te laat en zonder goed te begrijpen hoe, ineens omringd gevoeld door vijandigheid. Zo maar ineens. Maar waar kwam die vijandigheid vandaan?

Waaraan had hij gemerkt dat ze van de rotsen droop, uit de sneeuw omhoog kwam kruipen? Want zo te zien kwam er niets op hem af, er was

21

geen donkere onweersbui in aantocht. Maar uit die wereld daar beneden kwam een andere wereld te voorschijn die er nauwelijks van verschilde. Pellerin keek met een onverklaarbaar gevoel van beklemming naar die onschuldige pieken, die kammen, die besneeuwde toppen, die nauwelijks donkerder waren geworden maar toch begonnen te leven—als mensen.

Zonder dat daar aanleiding toe was, sloten zijn handen zich vast om de stuurknuppel. Er was iets op handen en hij wist niet wat. Hij spande zijn spieren als een dier dat gaat springen, maar om zich heen zag hij niets dan rust en stilte. Rust en stilte, inderdaad, maar geladen met een vreemde kracht.

Toen was alles scherp en puntig geworden. De kammen, de toppen, werden messcherp: je voelde hoe ze zich als de voorsteven van een schip, door de harde wind boorden. En daarop leek het of ze overstag gingen, een omtrekkende beweging maakten, als gigantische schepen die zich in slagorde opstellen. En ineens was de lucht vermengd met stof dat opdwarrelde en zachtjes als een sluier langs de besneeuwde hellingen zweefde. Hij draaide zich om, om te zien of er indien nodig een weg terug was en beefde: achter hem leek de hele Cordillera te borrelen en te gisten.

'Ik ben verloren.'

Vanaf een bergtop voor hem spoot sneeuw omhoog: een sneeuwspuwende vulkaan. Toen ook vanaf een tweede top, iets naar rechts. En de een na de ander kwamen alle toppen tot uitbarsting, als waren ze door een onzichtbare hardloper ontstoken. Op dat moment, bij de eerste zuigende luchtkolken, zag hij de bergen rondom heen en weer slingeren.

De gewelddadige aanval zelf had weinig sporen bij hem nagelaten: hij kon zich niets meer herinneren van de zware remous die hem tot speelbal had gemaakt. Hij herinnerde zich alleen nog dat verbeten gevecht in die grijswitte vlammen.

Hij dacht na.

'Een cycloon, dat is niets, daar red je je wel uit. Maar daarvoor! De confrontatie die eraan voorafgaat!

Hij meende in de menigte een gezicht te herkennen, maar op hetzelfde moment was hij het alweer vergeten.

IV

Rivière keek naar Pellerin. Als die straks, over twintig minuten, uit de auto zou stappen zou hij zich
onder de menigte begeven met een gevoel van lome
vermoeidheid. Misschien zou hij denken: 'Wat ben
ik moe... wat een rotvak!' En tegen zijn vrouw zou
hij misschien iets zeggen in de geest van: 'Het is
hier beter dan boven de Andes.' En toch stonden al
die dingen waaraan mensen zo gehecht zijn, nu ver
van hem af: hij had zojuist de nietigheid ervan ontdekt. Zojuist had hij een paar uur aan de andere
zijde van het decor geleefd, zonder te weten of het
hem gegeven zou zijn ooit weer die stad met haar
lichtjes te beleven. Zonder te weten of hij ooit zijn
jeugdvrienden, vervelend maar dierbaar, zou terug-
zien, al die kleine zwakheden in het menselijk

bestaan. 'In iedere menigte,' dacht Rivière, 'zijn mensen die je niet opvallen maar die toch dragers zijn van een bijzondere boodschap, zonder dat zelf te beseffen. Tenzij...' Rivière was bang voor een bepaald soort bewonderaars. Zij begrepen niets van de hogere betekenis van het avontuur en met hun luidruchtige lof gaven ze er een vals beeld van dat de mens omlaag haalde. Maar met de grandeur van iemand die weet wat de wereld in zeker opzicht waard is, wist Pellerin dit soort ordinaire bewondering met diepe minachting af te wijzen. Rivière feliciteerde hem: 'Hoe heb je dat voor elkaar gekregen?' En hij was blij dat de ander gewoon over het vak begon, dat hij over zijn vlucht sprak zoals een smid over zijn aambeeld.

Pellerin vertelde eerst hoe hij niet meer terug had gekund. Hij verontschuldigde zich bijna: 'Ik had echt geen keus.' Daarna had hij niets meer gezien, verblind door de sneeuw. Maar hij was gered door sterke luchtstromingen die hem naar 7000 voet hadden opgetild. 'Waarschijnlijk heb ik de hele tijd vlak boven de bergkammen gehangen.' Hij sprak ook over de gyroscoop waarvan de venturimeter moest worden verplaatst: hij raakte verstopt door de sneeuw. 'En dan krijg je ijsafzetting.' Later was hij door nieuwe luchtstromingen meegesleurd naar 3000 voet en hij had niet begrepen waarom hij niets raakte. Maar dat kwam omdat hij toen al boven de vlakte vloog. 'Ik merkte het opeens toen ik een stuk onbewolkte hemel trof.' Op dat moment had hij het gevoel gehad alsof hij uit een grot te voorschijn kwam, besloot hij.

'Was het in Mendoza ook noodweer?'

'Nee, ik ben geland bij onbewolkt en windstil weer. Maar de storm zat me vlak op de hielen.'

Hij praatte verder over de storm, 'omdat het al met al toch vreemd was.' De top bevond zich ergens hoog in de sneeuwwolken, maar de onderkant rolde over de vlakte als zwarte lava. Een voor een werden alle steden er door opgeslokt. 'Zo iets heb ik nog nooit gezien.' Daarop zweeg hij, gegrepen door de herinnering.

Rivière richtte zich tot de inspecteur: 'Het is een cycloon uit de Stille Oceaan geweest, ze hebben ons te laat gewaarschuwd. Die cyclonen passeren gewoonlijk nooit de Andes. Niemand had kunnen voorzien dat deze verder zou trekken naar het oosten.'

De inspecteur, die er geen verstand van had, knikte instemmend.

De inspecteur leek te aarzelen, keerde zich naar Pellerin terwijl zijn adamsappel op en neer ging. Maar hij zei niets. En nadat hij enige tijd recht voor zich uit starend had nagedacht, hulde hij zich weer in zijn droefgeestige waardigheid.

Die melancholie droeg hij met zich mee als zijn bagage. De vorige dag was hij in Argentinië aangekomen om op verzoek van Rivière een of ander karwei op te knappen. Maar nu wist hij geen raad met zijn grote handen, met zijn hoedanigheid van inspecteur. Hij had niet het recht om te bewonderen, noch de verbeeldingskracht, noch de geestdrift: hij had een beroepsmatige bewondering voor stiptheid. Hij mocht geen borrel drinken in gezelschap, geen kameraad tutoyeren of zich een grap permitteren, behalve in het onwaarschijnlijke geval dat hij op het vliegveld een andere inspecteur tegenkwam. 'Het is hard om rechter te zijn,' dacht hij. Om de waarheid te zeggen sprak hij nooit een oordeel uit maar schudde hij het hoofd. Omdat hij nergens van af wist, schudde hij zijn hoofd, langzaam, bij alles wat op zijn weg kwam. Dan raakten de slechte gewetens verontrust, en dat droeg weer bij tot een goed onderhoud van het materieel. Erg geliefd was hij niet. Inspecteurs komen niet op de wereld voor de geneugten van de vriendschap maar voor het opstellen van rapporten. Hij was ermee gestopt daarin aanbevelingen te doen voor nieuwe methoden en technische oplossingen sinds Rivière had geschreven: 'Inspecteur Robineau wordt verzocht ons geen gedichten maar rapporten te verschaffen. Inspecteur Robineau zou een uitstekend gebruik van zijn capaciteiten maken als hij het personeel wat meer stimuleerde.' En sindsdien wierp hij zich, als was het zijn dagelijks brood, op de menselijke onvolkomenheden. De monteur die dronk, de stationschef die hele nachten doorzakte, de piloot die slordig landde.

Rivière zei altijd over hem: 'Hij is niet bijster intelligent; daarom bewijst hij zulke goede diensten.' De regel die Rivière voor zichzelf had opgesteld, luidde: ken je mensen. Maar voor Robineau gold slechts: ken de regels.

'Robineau, bij iedere vertraging bij het vertrek moet je de stiptheidspremie inhouden,' had Rivière hem op een dag gezegd.

'Ook in geval van overmacht, zoals bij mist?'

'Ook bij mist.'

Robineau voelde een soort trots dat hij een chef had die zo krachtig was dat hij zelfs onrechtvaardig durfde te zijn. En zelf zou hij aan zo'n krenkende macht ook een zekere waardigheid kunnen ontlenen.

'U hebt om kwart over zes laten starten,' zei hij later tegen de stationschefs, 'we kunnen u dus geen premie uitkeren.'

'Maar meneer Robineau, om half zes hadden we nog geen tien meter zicht.'

'Regels zijn regels.'

'Maar meneer Robineau, we kunnen de mist toch niet wegvegen!'

En Robineau hulde zich in geheimzinnigheid. Hij vertegenwoordigde de directie. Te midden van al die warhoofden, was hij de enige die begreep hoe je door de mensen te kastijden, het weer kon verbeteren.

'Hij denkt nooit na,' zei Rivière over hem, 'en dus komt hij ook niet op verkeerde gedachten.'

Als een vlieger een toestel in de soep draaide, verspeelde hij zijn zorgvuldigheidspremie.

'Maar als je nu motorpech krijgt boven een bos?' had Robineau gevraagd.

'Ook boven een bos.'

En Robineau hield het zich voor gezegd.

'Het spijt me,' zei hij later tegen de vliegers, 'het spijt me ontzettend, maar dan had je maar ergens anders pech moeten krijgen.'

'Maar meneer Robineau, alsof je het voor het zeggen hebt!'

'Zo is het reglement.'

'Het reglement,' dacht Rivière, 'is net zo iets als de riten van een godsdienst: ze lijken soms absurd, maar ze vormen de mens.'

Het liet Rivière koud of hij rechtvaardig dan wel onrechtvaardig leek. Misschien betekenden die woorden zelfs niets voor hem. 's Avonds, als de burgers van de stadjes rond hun muziektent slenterden, dacht Rivière: 'Het maakt niets uit of ik rechtvaardig of onrechtvaardig tegenover hen ben—ze bestaan gewoon niet.' De mens was voor hem een stuk boetseerwas dat gekneed en gemodelleerd diende te worden. Materie waaraan je een ziel moest geven, waarvoor je een wil moest scheppen. Hij had niet het idee dat hij ze door zijn hardheid onderwierp, maar hen juist boven zichzelf uit liet stijgen. Door elke vertraging te bestraffen deed hij iets onrechtvaardigs, maar hij bereikte daarmee dat men bij iedere tussenlanding op tijd wilde vertrekken:

die wil werd door hem geschapen. Hij stond zijn mannen niet toe blij te zijn met slecht weer; dat te begroeten als een mooie gelegenheid om wat uit te rusten. Hij hield ze in spanning en het wachten betekende een stille vernedering voor hen, tot de laagste monteur aan toe. Zo werd er tenminste geprofiteerd van de eerste opklaring in een dichtbewolkte hemel: 'Opklaring in het noorden—starten!' Dank zij Rivière waren over vijftienduizend kilometer de riten van de postvlucht belangrijker dan wat ook.

Soms zei Rivière bij zichzelf: 'Die kerels zijn gelukkig omdat ze van hun werk houden, en ze houden van hun werk omdat ik hardvochtig ben.'

Hij pakte ze misschien hardvochtig aan, maar hij gaf ze dan ook de vreugde van het werk.

'Je moet ze aanzetten tot een intens leven, dat zowel ontberingen als vreugde kent, maar dat de moeite waard is om geleefd te worden,' dacht hij.

Toen de auto de stad binnenreed, liet Rivière zich naar het kantoor van de maatschappij brengen. Robineau, alleen achtergebleven met Pellerin, volgde hem met zijn blik en opende zijn mond om iets te zeggen.

V

Robineau voelde zich die avond vermoeid. Tegenover de zegevierende Pellerin had hij de grauwheid
van zijn eigen bestaan beseft. En vooral dat hij,
Robineau, ondanks zijn functie van inspecteur en
zijn gezag, de mindere was van die man die daar
dodelijk vermoeid in een hoek van de achterbank
hing, de ogen gesloten en de handen zwart van de
olie. Voor het eerst in zijn leven voelde Robineau
bewondering. Hij voelde de behoefte die te uiten.
Maar hij voelde vooral behoefte om vriendschap te
sluiten. Hij was moe van zijn reis en van de tegen-
slagen van die dag, misschien voelde hij zich zelfs
een beetje belachelijk. Die avond had hij zich in zijn
berekeningen vergist toen hij de benzinevoorraden
controleerde, en de agent die hij had willen betrap-

pen had uit medelijden het werk van hem overgenomen. Erger nog: hij had kritiek geleverd op de montage van een oliepomp van het type B6 die hij verward had met een B4-pomp, en de achterbakse monteurs hadden hem twintig minuten laten uitvaren over 'onvergeeflijke, grove onkunde'—zijn eigen grove onkunde.

Angst bekroop hem als hij aan zijn hotelkamer dacht. Van Toulouse tot Buenos Aires—hij ging onveranderlijk regelrecht van zijn werk naar zijn hotel. Daar sloot hij zich op, zich bewust van de vele geheimen die hem bezwaarden, haalde uit zijn koffer een vel te voorschijn en schreef langzaam: Rapport. Dan schreef hij lukraak een paar regels om vervolgens alles weer te verscheuren. Hoe graag had hij de maatschappij voor een groot gevaar willen behoeden! Maar de maatschappij liep geen enkel gevaar. Tot dusver had hij haar voor weinig meer kunnen behoeden dan een verroeste schroefnaaf. Met een begrafenisgezicht had hij zijn vinger over de roestplek laten glijden, heel langzaam, in het bijzijn van de stationschef die alleen maar had gezegd: 'Wendt u maar tot het vorige vliegveld; dit toestel is net aangekomen.' Robineau twijfelde aan zijn eigen rol.

Hij verzamelde zijn moed en vroeg aan Pellerin: 'Wilt u met mij dineren? Ik zou graag wat willen praten... mijn vak valt me soms zwaar...'

Toen, om zich niet te snel bloot te geven: 'Ik heb zo'n grote verantwoordelijkheid...'

Zijn ondergeschikten lieten Robineau liever niet toe in hun privéleven. Ze dachten allemaal: 'Misschien heeft hij nog niets gevonden voor zijn rapport en, hongerig als hij is, zal hij straks aan mij beginnen!'

Maar die avond dacht Robineau alleen maar aan zijn eigen misère, aan het hinderlijke eczeem dat zijn lichaam ontsierde. Dat was zijn enige echte geheim, en graag zou hij erover hebben verteld, om beklaagd te worden, en de troost die zijn trots hem niet gaf dan maar in de nederigheid te zoeken. Dan had hij nog een maîtresse in Frankrijk aan wie hij 's avonds na zijn terugkeer over zijn inspecties vertelde, om een beetje indruk op haar te maken en door haar bemind te worden. Maar ze begon genoeg van hem te krijgen, en hij had graag wat over haar willen praten.

'Wel, wilt u met mij gaan eten?'

Pellerin, in een goedmoedige bui, stemde toe.

VI

De klerken zaten te dommelen toen Rivière het kantoor in Buenos Aires binnenkwam. Hij had zijn jas en hoed niet afgedaan. Hij zag er altijd uit als iemand die eeuwig op reis was en je zou hem bijna over het hoofd zien, zo weinig lucht verplaatste zijn kleine gestalte, zozeer vielen zijn grijze haren en zijn kleurloze kledij weg tegen ongeacht welk decor. Niettemin leidde zijn verschijning tot bedrijvigheid onder de mannen. De klerken kwamen in beweging, de chef de bureau begon de nieuwe paperassen door te nemen, schrijfmachines begonnen te ratelen. De telefonist stak de stekkertjes in de centrale en schreef de telegrammen bij in een dik boek.

Rivière ging zitten lezen. Na de beproeving in

37

Chili las hij het verslag van een gelukkiger dag waarop de dingen vanzelf terechtkomen en de berichten die een voor een doorkomen van de gepasseerde vliegvelden, sobere verslagen lijken van een overwinning. Ook de koerier uit Patagonië schoot goed op: hij lag voor op het schema, voortgestuwd door krachtige windstromingen van zuid naar noord.

'Geef me de weerberichten.'

Ieder veld beroemde zich op helder weer, onbewolkte hemel, een stevige bries. Heel het continent was nu in een gouden avondgloed gehuld. Rivière verheugde zich over zoveel voorspoed. Nu worstelde die koerier ergens in het avontuur van de nacht, maar zijn kansen waren uitstekend.

Rivière duwde het cahier van zich af.

'In orde.'

Hij liep weg om te gaan kijken bij de technische dienst—een nachtwaker die een half werelddeel onder zijn hoede had.

Voor een open venster bleef hij staan en keek naar de nacht. Het duister omhulde Buenos Aires, maar ook het Amerikaanse continent, als een enorme kathedraal. Dit gevoel van grootsheid verbaasde hem niet: de hemel van Santiago de Chili was ver en vreemd, maar zodra de koerier eenmaal op weg was naar Santiago was er leven, van het ene eind van de route tot het andere, onder hetzelfde diepe gewelf. Van het andere postvliegtuig, waarvan de stemmen nu vaag doorkwamen in de koptelefoons, konden de vissers van Patagonië nu de boordlichten zien schijnen. Diezelfde onrust die een vliegtuig onderweg bij Rivière teweegbracht, drukte ook op de steden en provincies, met het gebrom van de motoren.

Blij dat deze nacht zo goed was begonnen, dacht hij terug aan die nachten vol onrust waarin hij vreesde dat een vliegtuig zijn ongeluk tegemoet ging, nauwelijks nog te redden was. Op het radiostation van Buenos Aires was zijn klaaglijke geluid dan te horen, vermengd met het geknetter van onweer. In dat rumoerig geknetter gingen de welluidender signalen verloren. Wat een wanhoop sprak er uit de klaaglijke fluittoon van een vliegtuig dat als een blinde pijl naar de obstakels van de nacht was gestuurd!

Rivière vond dat een inspecteur tijdens een nacht waarin gevlogen werd, op het kantoor hoorde te zijn.

'Laat Robineau hierheen komen.'

Robineau stond op het punt vriendschap te sluiten met een vlieger. In het hotel had hij in diens bijzijn zijn koffer geopend; die gaf de kleine dingen prijs waardoor inspecteurs dichter bij de rest van de mensheid komen te staan: een paar smakeloze overhemden, een toilettas, een foto van een magere vrouw, die de inspecteur aan de muur prikte. Daarmee bekende hij Pellerin nederig zijn behoeften, zijn genegenheid, zijn verdriet. Door zijn schatten zo

39

ordeloos uit te stallen, liet hij de vlieger zijn hele
misère zien. Zijn psychisch eczeem. Zijn gevan-
genis.

Maar ook in het leven van Robineau was er, zoals
bij iedereen, een lichtpunt. Er ging een warm gevoel door hem heen toen hij onder uit zijn koffer,
zorgvuldig weggestopt, een klein zakje te voorschijn haalde. Hij bevoelde het langdurig zonder iets
te zeggen. En toen hij het eindelijk losliet, zei hij:
'Dit heb ik uit de Sahara meegenomen.'

De inspecteur had gebloosd bij die bekentenis.
Hij vond troost voor zijn falen, zijn ongelukkig
huwelijk, zijn hele grauwe werkelijkheid in een
paar zwartachtige kiezels die de sluier oplichtten
van een mysterie. En, terwijl hij nog dieper bloosde:
'Je vindt deze ook in Brazilië.'

Pellerin had even op de schouder geklopt van de
inspecteur die zich over zijn verzonken Atlantis
boog.

Uit een soort gêne had Pellerin gevraagd: 'Is dat
een hobby van u, geologie?'

'Het is mijn lust en mijn leven.'

Stenen, dat was het enige wat in zijn leven een
beetje zacht voor hem was geweest.

Robineau was bedroefd toen ze hem kwamen roepen, maar hij hervond snel zijn waardigheid.

'Ik moet u alleen laten. Rivière heeft me laten
roepen voor enkele belangrijke beslissingen.'

Toen Robineau het kantoor binnenkwam, was

Rivière al weer vergeten dat hij zou komen. Hij stond te mediteren voor een landkaart aan de muur waarop in rode lijnen het net van de maatschappij was aangegeven. De inspecteur wachtte op zijn orders. Na een minutenlange stilte vroeg Rivière, zonder zich om te draaien: 'Wat denkt u van deze kaart, Robineau?'

Rivière kon van die raadselachtige vragen stellen als hij een tijdje had staan nadenken.

'Die kaart, meneer de directeur...'

De inspecteur dacht eerlijk gezegd niets van die kaart, maar hij liet nu met een ernstig gezicht zijn blik over Europa en Amerika dwalen. Rivière zette zijn overpeinzingen voort zonder hem daarin te laten delen: 'Zo op de kaart ziet dit luchtnet er prachtig uit—maar meedogenloos. Het heeft ons al heel wat mensen gekost, jonge mannen. Hier hangt het voor ons, dwingend als een voldongen feit, maar wat een problemen brengt het niet met zich mee!' Toch telde voor Rivière alleen het doel.

Robineau, naast hem, staarde nog steeds naar de kaart en begon zich wat te herstellen. Van de kant van Rivière verwachtte hij geen enkel mededogen.

Een keer had hij de kans gewaagd en verteld hoe zijn leven mislukt was door die belachelijke kwaal. Toen had Rivière hem spottend toegevoegd: 'Als je er niet van kunt slapen, zal het je werklust stimuleren.'

Dat was maar half grappig bedoeld. Rivière beweerde altijd: 'Als een musicus door zijn slapeloosheid mooie muziekstukken maakt, dan is die slapeloosheid zijn geluk.' Op een dag had hij, wijzend naar Leroux, gezegd: 'Moet je eens kijken hoe prachtig dat is, die lelijkheid die de liefde op een afstand houdt. Alles wat er in hem te prijzen valt, dankt Leroux misschien wel aan dat afstotende uiterlijk waardoor zijn leven zich voornamelijk tot werken beperkt.'

'Bent u goed bevriend met Pellerin?'

'Eh...'

'Het is geen verwijt.'

Rivière draaide zich half om, met gebogen hoofd, en met kleine passen lopend trok hij Robineau met zich mee. Er kwam een droeve glimlach om zijn mond die Robineau niet begreep.

'Maar... u bent wel de chef.'

'Ja,' knikte Robineau.

Er ontwikkelde zich eigenlijk iedere nacht een nieuw drama in de lucht, dacht Rivière. Als de wil verslapte kon er een nederlaag volgen, en er zou misschien nog hard gevochten moeten worden voor het aanbreken van de dag.

'U moet wel in uw rol blijven.' Rivière woog zijn woorden zorgvuldig: 'Misschien moet u die vlieger morgenavond opdracht geven voor een riskante start: dan zal hij moeten gehoorzamen.'

'Ja.'

'U beschikt bijna over het leven van die mannen —mannen die meer waard zijn dan u.' Hij leek te aarzelen. 'En dat is een ernstige zaak.'

Rivière, nog steeds met kleine pasjes lopend, zweeg even.

'Als ze u uit vriendschap gehoorzamen, houdt u ze voor de gek. Zelf hebt u niet het minste recht op een offer van hun kant.'

'Nee, natuurlijk niet.'

'En als ze denken dat uw vriendschap hen van bepaalde lastige karweitjes ontslaat, houdt u ze ook voor de gek. Ze zullen u gewoon moeten gehoorzamen. Ga daar eens zitten.'

Rivière duwde Robineau met zachte hand naar zijn bureau.

'Ik zal u uw plaats wijzen, Robineau. Als u vermoeid bent, dan is het niet de taak van die mannen om u op te beuren. U bent de chef. Uw zwakheid is belachelijk. Schrijf op.'

'Ik...'

'Schrijf op: Inspecteur Robineau legt vlieger Pellerin die en die boete op, om die en die redenen... U vindt wel een motief.'

'Maar meneer de directeur!'

'Doe tenminste alsof u me begrijpt, Robineau. Het is prima gesteld te zijn op de kerels die u commandeert, maar zeg het ze nooit.'

Robineau, weer een en al ijver, liet de schroefnaven schuren.

Een noodlandingsterrein meldde via de radio: 'Vliegtuig in zicht. Vliegtuig meldt: motor verliest toeren, ik ga landen.'

Dat zou zeker een half uur kosten. Rivière kende

43

de irritatie die je voelt als een sneltrein stopt en de minuten niet langer voorbijsnellende vlakten laten zien. De grote wijzer van de klok beschreef nu een dode ruimte: wat had er niet allemaal kunnen gebeuren in die lege hoek! Rivière liep de kamer uit om de tijd te doden, en de nacht scheen hem leeg als een theater zonder acteurs. 'Een nacht die zo teloorgaat...' Wrokkig keek hij uit het venster naar die blote hemel, zo vol met sterren, die goddelijke bakens, naar de maan, het goud van een verkwiste nacht.

Maar zodra het vliegtuig weer opsteeg was de nacht voor Rivière weer mooi en ontroerend. Ze droeg weer leven in haar flanken. Leven waar Rivière zich om kon bekommeren.

'Hoe is het weer?' liet hij aan de bemanning vragen.

Er gingen tien seconden voorbij: 'Prachtig.'

Daarop volgden een paar namen van steden die men gepasseerd was—voor Rivière waren het vestingen die gevallen waren in de strijd.

VII

Een uur later voelde de telegrafist van het postvliegtuig uit Patagonië hoe hij zachtjes werd opgetild,
alsof hij aan een schouder omhoog werd getrokken.
Hij keek om zich heen: er hingen zware wolken
voor de sterren. Hij boog zich naar de grond, zocht
de lichtjes van dorpen, die glimwormen verborgen
tussen het gras, maar er schitterde niets in deze
zwarte prairie.

Hij was somber gestemd, want hij voorzag een
moeilijke nacht: een nacht van aanvallen en tegen-
aanvallen, van veroverd grondgebied dat weer moest
worden prijsgegeven. Hij kon de tactiek van de vlieger niet volgen, hij had het idee dat ze verderop
tegen de ondoordringbare nacht zouden stoten als
tegen een muur.

Nu bespeurde hij voor het toestel uit een flauw oplichtend schijnsel aan de horizon: het vuur van een smederij. De telegrafist tikte Fabien op de schouder, maar deze reageerde niet.

De eerste remous van een onweersbui in de verte kreeg het vliegtuig in zijn greep. Zachtjes deinend duwde de metalen massa de telegrafist als het ware tegen zijn vlees, om dan weer onder hem weg te vallen, en een paar seconden zweefde hij alleen door de nacht. Daarop greep hij zich met beide handen vast aan een stalen spant.

Het enige wat hij nu nog van de wereld zag was de rode gloeilamp in de cockpit, en hij huiverde bij het idee dat hij op weg was naar het diepst van de nacht, onherroepelijk, met als enig houvast een mijnwerkerslampje. Hij durfde de piloot niet te storen om te vragen wat hij van plan was en, voorovergebogen, zijn handen om het staal geklemd, keek hij naar diens donkere nek.

In het schemerlicht vielen alleen een hoofd en twee onbeweeglijke schouders te onderscheiden. Het lichaam was niets dan een donkere massa die iets naar links helde en zijn gezicht, dat naar het onweer was gekeerd, werd ongetwijfeld bij iedere bliksemflits door licht overspoeld. Maar de telegrafist zag niets van dat gezicht. Alle emoties die erop te lezen waren bij het naderen van het onweer, de tegenzin, de vastberadenheid, de woede, die hele wisselwerking tussen dat bleke gezicht en die korte lichtflitsen daar in de verte, bleven voor hem een geheim.

Toch bespeurde hij iets van de kracht die samengebundeld was in die roerloze donkere gedaante, en die beviel hem. Die kracht zou hem weliswaar naar de onweersbui voeren, maar vormde tegelijkertijd zijn bescherming. Die handen die daar om de stuurknuppel lagen, hadden zich al stevig om de onweersbui gelegd, als om de nek van een beest, maar de krachtige schouders bleven onbeweeglijk, en je voelde dat daarin een diepe reserve school.

Uiteindelijk was de vlieger verantwoordelijk, zo bedacht de telegrafist. En nu genoot hij ervan, terwijl hij schrijlings in galop naar het strijdperk werd gesleurd; van de kracht en het overwicht van die duistere gedaante voor hem, van de soliditeit die er van hem uitging.

Links voor hem lichtte een nieuwe onweershaard op, als het schijnsel van een vuurtoren.

De telegrafist wilde Fabien op de schouder tikken om hem hierop opmerkzaam te maken, maar zag dat hij zich al langzaam omdraaide, de nieuwe vijand een paar seconden opnam, en toen weer zijn oorspronkelijke positie innam. Zijn schouders weer onbeweeglijk, zijn nek rustend tegen het leer.

VIII

Rivière was naar buiten gegaan om wat rond te lopen en dat sombere gevoel dat hem opnieuw bekroop te verdrijven. Hij die slechts leefde voor de actie, voor dramatische actie, voelde nu vreemd genoeg hoe het drama verlegd werd, een persoonlijk karakter kreeg. Hij bedacht dat al die kleine burgers rond hun muziektent in die kleine steden wel ogenschijnlijk een onbewogen leven leidden, maar dat het soms ook zwaar kon zijn van tragiek: van ziekte, liefde, rouw, en dat misschien... Van zijn eigen ziekte had hij veel geleerd: 'Zoiets kan bepaalde perspectieven openen,' mijmerde hij.

Toen hij tegen elf uur 's avonds weer wat vrijer kon ademhalen, liep hij naar het kantoor. Langzaam baande hij zich met zijn schouders een weg door de

menigten die zich voor de bioscopen hadden ver-
zameld. Hij keek omhoog naar de sterren boven de
smalle straat die bij al die lichtreclames verbleekten,
en dacht: 'Deze avond, met twee koeriers in de
lucht, ben ik als het ware verantwoordelijk voor een
hele hemel. Die ster is een teken dat mij zoekt in de
menigte en mij vindt; en daarom voel ik me een
beetje een vreemdeling, een eenling.'

Er kwam een melodie in hem op, de klanken van
een sonate die hij gisteren met een paar vrienden had
beluisterd. Die vrienden hadden hem niet begrepen:
'Dit soort kunst verveelt ons, en jou ook, alleen wil
jij het niet toegeven.'

'Misschien,' had hij geantwoord.

Hij had zich, net als nu, eenzaam gevoeld, maar
al snel de zegeningen van die eenzaamheid ontdekt.
Want de boodschap van die muziek was tot hem
doorgedrongen, tot hem alleen, te midden van de
middelmatigen, als een zoet geheim. Zo ook het
teken van de ster. Er werd tegen hem gesproken in
een taal die alleen hij verstond.

Op het trottoir duwden mensen hem ruw opzij,
maar hij dacht: 'Laat ik me niet druk maken. Ik ben
als een vader met een ziek kind die met kleine stap-
jes door de menigte gaat, en de diepe stilte van zijn
huis in zich meedraagt.'

Hij richtte zijn blik op de menigte, probeerde te
zien of er meer mensen waren die, met kleine pasjes,
hun fantasieën en hun liefdes meevoerden en dacht
aan het isolement van een vuurtorenwachter.

De stilte in het kantoor deed hem goed. Langzaam liep hij door de ruimtes waarin slechts het geluid van zijn voetstappen weerklonk. De schrijfmachines sliepen onder hun hoezen. De gesloten deuren van de grote kasten verborgen geordende dossiers. Hier lag het werk en de ervaring van tien jaar opgeslagen. Hij had het idee dat hij de kelders van een bankgebouw bezocht, de plaats waar de schatten liggen opgeslagen. Voor hem bevatten die registers stuk voor stuk iets dat meer waard was dan goud: een levende materie. Levende materie die nu nog lag te sluimeren, net als het goud van de banken.

Ergens zou hij de enige nog dienstdoende klerk tegen het lijf lopen. Ergens zat een man te werken opdat het leven zou doorgaan, de wilskracht niet verslappen; opdat van de ene landingsbaan naar de andere, van Toulouse tot Buenos Aires, de keten nergens onderbroken werd. 'Die man heeft geen besef van zijn eigen grootsheid.'

Ergens leverden de koeriers hun strijd. Een nacht-vlucht was langdurig, als een ziekte: altijd moest je waakzaam blijven. Iemand moest ze bijstaan, die mannen die met handen en knieën, borst tegen borst, tegen de duisternis vochten en zich van niets, niets anders meer bewust waren dan van bewegen-de, onzichtbare dingen waaraan ze zich moesten onttrekken, met alle kracht van hun blinde armen, als aan een zee. Die simpele, maar vreselijke beken-tenissen van tijd tot tijd: 'Ik heb mijn handen bij-gelicht om ze te kunnen zien.' Het fluweel van een paar handen, het enige dat zichtbaar werd in het rode fotobad: het enige dat er restte van de wereld en dat niet verloren mocht gaan.

Rivière duwde de deur van het kantoor open. De enige brandende lamp schiep een eiland van licht in een hoek van het vertrek. Het geratel van een enkele schrijfmachine gaf betekenis aan de stilte zonder haar geheel te verdrijven. Af en toe galmde het belsignaal van de telefoon. Dan stond de dienstdoende klerk op en liep naar die herhaalde, hardnekkige en naargeestige roep. De klerk nam de hoorn op en de onzichtbare angst ebde weg: in een donkere hoek werd op fluistertoon een conversatie gevoerd. Vervolgens nam de man weer onverstoorbaar plaats aan zijn bureau, en zijn door eenzaamheid en slaap ondoorgrondelijke gezicht boog zich over een onontwarbaar raadsel. Welke dreiging schuilt er in een rinkelende telefoon, een roep van buiten, uit de nacht, als twee koeriers onderweg zijn? Rivière dacht aan de telegrammen die 's avonds bij het lamplicht worden geopend, aan de ongelukstijding die een paar eeuwigdurende seconden lang een geheim blijft op het gezicht van de vader. Een golf die eerst nog zwak is, zo ver van de noodkreet, zo kalm. Maar telkens weer hoorde hij de zwakke echo van die noodkreet in dat discrete gerinkel van de telefoon. En telkens weer als hij naar die man keek, wiens gang door de eenzaamheid werd vertraagd, als van een zwemmer tussen twee golven, als hij zag hoe hij uit het donker terugkeerde naar zijn lamp als

52

een duiker naar de oppervlakte, dan leken zijn bewegingen hem zwaar van onheilspellende geheimen.

'Laat maar, ik neem wel aan.'

Rivière nam de hoorn op, hoorde het gezoem van de buitenwereld.

'Met Rivière.'

Een zwak gekraak, dan een stem: 'Ik geef u het radiostation.'

Opnieuw gekraak, dit keer van de centrale, toen een andere stem: 'Met het radiostation. We geven de telegrammen door.'

Rivière noteerde ze en knikte daarbij met het hoofd: 'Goed... goed...'

Geen bijzondere dingen. De gebruikelijke mededelingen. Rio de Janeiro wilde een inlichting, Montevideo sprak over het weer en Mendoza over materieel. De vertrouwde huiselijke geluiden.

'En de koeriers?'

'Er zit veel onweer in de lucht. We ontvangen de vliegtuigen niet.'

'Goed.'

Rivière bedacht hoe de nacht hier helder was en vol sterren maar dat de marconisten daarin toch al de adem van een verre onweersbui bespeurden.

'Tot straks.'

Rivière stond op, de klerk hield hem aan: 'Wilt u de dienstnota's tekenen, meneer.'

'Goed.'

Rivière voelde ineens een diepe vriendschap voor

deze man, die eveneens gebukt ging onder het gewicht van de nacht. 'Een kameraad in de strijd,' dacht hij. 'Hij zal vast nooit beseffen hoe deze nachtelijke arbeid ons met elkaar verbindt.'

IX

Toen hij met een bundel papieren in de hand weer bij zijn bureau kwam, voelde Rivière opeens weer die heftige pijn in de rechterzij waar hij al een paar weken last van had.

'Het is weer mis...' Hij leunde even tegen de muur. 'Belachelijk.' Daarna liet hij zich op zijn stoel vallen. Hij voelde zich voor de zoveelste keer gekneveld als een oude leeuw en droefheid overviel hem.

'Zo hard gewerkt om ten slotte zo te eindigen! Ik ben nu vijftig. Vijftig jaar lang heb ik mijn leven gevuld, heb ik gewerkt en geleerd, gestreden, heb ik de loop der gebeurtenissen naar mijn hand gezet. En kijk, dit is het enige dat me nu bezighoudt, waaraan ik kan denken, dat belangrijker is dan wat ook ter wereld. Belachelijk!'

Hij wachtte af en wiste zich het zweet van het voorhoofd. Toen de pijn wegtrok zette hij zich weer aan het werk.

Langzaam nam hij de notities door.

'In Buenos Aires hebben we bij het demonteren van motor 301 geconstateerd dat... de verantwoordelijke man zal een zware straf krijgen...' Hij tekende.

'Aangezien op het veld van Florianopolis de instructies niet worden opgevolgd...' Hij tekende.

'Bij wijze van disciplinaire maatregel zal chef Richard worden overgeplaatst...' Hij tekende.

Maar de pijn in zijn zij die dof, maar toch duidelijk aanwezig was, en nieuw, een nieuwe ervaring in zijn leven, dwong hem aan zichzelf te denken en hij werd bijna cynisch.

'Ben ik rechtvaardig of niet? Ik zou het niet weten. Als ik hard optreed gaat er minder mis. Toch is het niet de mens die verantwoordelijk is, maar een of andere duistere macht die ongrijpbaar blijft als je niet iedereen te pakken neemt. Als ik strikt rechtvaardig zou zijn, zou iedere nachtvlucht een dodelijke afloop kunnen hebben.'

Hij werd er op de een of andere manier moe van, van die hardvochtige weg die hij had uitgestippeld. Mededogen is een goede zaak, dacht hij, terwijl hij nog steeds in overpeinzingen verzonken door de aantekeningen bladerde.

'...wat Roblet betreft, met ingang van vandaag is hij niet meer bij ons in dienst.'

Hij zag de oude Roblet weer voor zich en dacht aan hun gesprek van die avond: 'Een voorbeeld, er moet toch een voorbeeld worden gesteld.'

'Maar meneer... Een keer, één enkele keer maar. Terwijl ik mijn hele leven heb gewerkt!'

Toen kwam die versleten portefeuille te voorschijn en het vergeelde kranteknipsel waarop een jonge Roblet voor een vliegtuig poseerde. Rivière zag hoe de oude handen beefden van kinderlijke trots.

'Dat was in 1910 meneer... Hier heb ik juist het eerste vliegtuig van Argentinië gemonteerd. Ik zit al vanaf 1910 in de luchtvaart... twintig jaar, meneer, denkt u zich eens in! Hoe kunt u dan zeggen... En al die jonge jongens, meneer, stelt u zich eens voor hoe ze in de werkplaats zullen lachen! Wat zullen ze lachen!'

'Dat kan me niet schelen.'

'En mijn kinderen, meneer. Ik heb kinderen!'

'Ik heb gezegd dat je een baantje als poetser kunt krijgen.'

'Maar mijn reputatie, mijn reputatie! Twintig jaar in de luchtvaart, een oude werker als ik...'

'Poetser.'

'Dat weiger ik, meneer, dat weiger ik!'

De oude handen beefden en Rivière keerde zijn blik af van die gegroefde, stevige, prachtige huid.

'Poetser.'

'Nee meneer... ik wilde u nog één ding zeggen...'

'Je kunt gaan.'

Rivière dacht: 'Het is niet Roblet die ik zo bruut

de laan heb uitgestuurd, maar het kwaad waarvoor hij misschien niet zelf verantwoordelijk is maar dat toch via hem in de wereld komt. De gebeurtenissen heb je zelf in de hand,' dacht Rivière, 'die gehoorzamen en zo krijg je iets van de grond. Mensen zijn maar armzalige werktuigen en ook die moet je zelf vorm geven. Of ze aan de kant zetten, omdat het ongeluk hen als een doorgeefluik gebruikt...'

'Ik wilde u nog één ding zeggen...' Wat had die arme oude man hem willen vertellen? Dat alles wat hem vreugde had geschonken hem nu werd ontnomen? Dat het geluid van gereedschap op het staal van een vliegtuig hem dierbaar was? Dat hij nu beroofd werd van deze poëzie? Dat hij immers moest leven?

'Ik ben doodmoe,' dacht Rivière. Hij voelde de koorts opkomen, een zachte tinteling. Hij trommelde met de vingers op het papier en dacht: 'Dat gezicht van die oude baas beviel me...' Rivière zag opnieuw die handen voor zich en hoe die zich met een lichte beweging ineen zouden slaan. Hij hoefde alleen maar te zeggen: 'Het is niet zo erg, je kunt blijven.' Rivière droomde van de huivering van vreugde die door die oude handen zou gaan. Die vreugde die zou spreken, nee, niet uit dat gezicht, maar uit die oude werkmanshanden, die leek hem ineens het mooiste wat er op de wereld bestond. 'Zal ik het papier toch maar verscheuren?' En dan het gezin van de oude, dat als hij 's avonds thuiskwam met stille trots zou vragen: 'Mag je blijven?'

'Natuurlijk! Kom nou! Ik heb het eerste vliegtuig van Argentinië nog onder handen gehad!'

En die jonge knapen die niet meer zouden lachen als die oude zijn prestige herwonnen had...

'Verscheuren of niet?'

De telefoon ging. Rivière nam op. Lange tijd niets, toen die galm, dat kerkerachtige geluid dat wind en ruimte aan menselijke stemmen geven. Eindelijk sprak er iemand: 'Met het veld. Met wie spreek ik?'

'Rivière.'

'Meneer de directeur, de 650 staat op de baan.'

'Prima.'

'Alles is nu klaar, maar we hebben op het laatste moment het elektrische circuit moeten herzien omdat er aansluitingen fout zaten.'

'Goed. Wiens werk was dat?'

'Dat gaan we na. Als u het goed vindt zullen we strafmaatregelen treffen: stel je voor dat de boordlichten uitvallen, dat kan ernstige gevolgen hebben.'

'Zeker.'

Rivière dacht: 'Als je het kwaad niet uitrukt zodra je het bespeurt, ongeacht waar, dan krijg je storingen in de verlichting: het is misdadig niets te ondernemen als je weet via wie het kwaad is binnengeslopen. Roblet moet eruit.'

De klerk, die niets gezien heeft, tikt nog steeds.

'Waar ben je mee bezig?'

'Het overzicht over de laatste twee weken.'

'Waarom is dat nog niet klaar?'

'Ik...'

'We zullen het uitzoeken.'

'Merkwaardig toch hoe de gebeurtenissen de overhand krijgen, alsof er een machtige duistere kracht aan het werk gaat, een kracht die oerwouden uit de grond stampt, die steeds sterker en dwingender wordt en ieder groot werk overwoekert.' Rivière dacht aan tempels die door kleine, nietige lianen op de rand van instorting worden gebracht.

'Een groot werk...'

En, om zichzelf gerust te stellen: 'Ik ben op al die mannen, stuk voor stuk, gesteld. Ik ben ook niet tegen hén aan het vechten. Alleen maar tegen het kwaad dat zich van hen bedient...'

Zijn hart sloeg heftig en hij voelde zich ellendig.

'Ik weet niet of het goed is wat ik heb gedaan. Ik weet niet wat het menselijk leven precies waard is, of de gerechtigheid, of het verdriet. Ik weet niet precies wat de vreugde van een mens betekent, of een bevende hand. Of medelijden, of vriendelijkheid...'

Hij droomde weg: 'Het leven zit vol tegenstrijdigheden, je moet er maar het beste van zien te maken. Maar wel volharden, creëren, zorgen dat dat sterfelijke lichaam niet voor niets heeft geleefd...'

Rivière peinsde nog even, toen belde hij.

'Telefoneer aan de vlieger van de machine naar Europa dat hij voor vertrek bij me langskomt.'

Hij dacht: 'Het moet me niet gebeuren dat die vlieger onnodig terugkeert. Als ik mijn mannen niet hardhandig aanpak zullen ze altijd bang blijven voor de nacht.'

X

De vrouw van de vlieger werd wakker door het rin-
kelen van de telefoon. Ze keek naar haar man en
dacht: 'Ik laat hem nog even slapen.'

Vol bewondering keek ze naar zijn naakte borst,
breed en gewelfd, die haar deed denken aan een fraai
gevormd schip.

Hij lag in dat kalme bed als in een haven, en
opdat niets zijn slaap zou kunnen verstoren streek
ze met haar vingers de plooien, de donkere plekken,
de deining, weg; streek ze het bed glad zoals een
goddelijke hand de zee.

Ze stond op, opende het venster en voelde de wind in
haar gezicht. De kamer keek uit over Buenos Aires. Uit een naburig huis, waar gedanst werd,
klonk muziek die door de wind werd aangedragen

—het was de tijd van de dag waarop mensen zich amuseren of rusten. In haar honderdduizend burchten hield de stad de mensen omsloten: alles was kalm en veilig. Maar deze vrouw had het gevoel dat er ieder moment 'Te wapen!' kon worden geroepen en dat dan één man, de hare, overeind zou springen. Nu sliep hij nog, maar zijn slaap was de bedrieglijke rust van een reservist die straks naar het front zou moeten. Deze slapende stad kon hem niet beschermen, en al die lichtjes leken haar zinloos zodra hij zich eenmaal als een jonge god boven hun stoffig schijnsel zou verheffen. Ze keek naar die stevige armen die over een uur het lot van de post naar Europa zouden dragen, armen die verantwoordelijk waren voor iets belangrijks, even belangrijk als het lot van een hele stad. Dat verontrustte haar. Van al die miljoenen mensen moest hij als enige dat vreemde offer brengen. Dat deed haar verdriet. Want daarmee ontsnapte hij ook aan haar liefde. Ze had hem gevoed, gekoesterd en gestreeld, niet voor zichzelf, maar voor deze nacht die hem van haar zou afnemen. Voor gevechten, angsten en overwinningen waarvan zij geen weet had. Die tedere handen waren nu tijdelijk tot rust gebracht, maar hun werkelijke arbeid was voor haar een geheim. Ze kende zijn glimlach, zijn zorgzaamheid als minnaar, maar niet zijn hevige woede bij een onweersbui. Ze bond hem met tedere banden—met muziek, liefde en bloemen; maar zodra het uur van vertrek sloeg, vielen die banden weg, en het leek hem niet te deren.

Hij opende de ogen: 'Hoe laat is het?'

'Middernacht.'

'Wat voor weer?'

'Weet ik niet.'

Hij stond op en liep langzaam, zich onderwijl uit-rekkend, naar het venster.

'Met de kou zal het wel meevallen. Wat voor wind staat er?'

'Hoe moet ik dat weten?'

Hij boog zich uit het raam: 'Zuidenwind. Dat is gunstig. Dat blijft zo tot Brazilië.'

Hij keek naar de maan en prees zich gelukkig. Daarop gleed zijn blik over de stad.

Haar vriendelijkheid, haar vrolijke lichtjes en haar warmte ontgingen hem. Hij zag het ijle stof van die lichten al onder zich wegglijden.

'Waar denk je aan?'

Hij dacht aan de kans op mist in de buurt van Porto Allegre.

'Maar ik heb mijn tactiek. Ik weet hoe ik er omheen kan vliegen.'

Hij hing nog steeds uit het raam. Hij ademde diep alsof hij, naakt, in zee wilde duiken.

'Je bent niet eens bedroefd... Hoe lang blijf je weg?'

Een dag of tien. Hij wist het niet. Bedroefd? Nee, waarom? Die vlakten, die steden, die bergen... Hij ging als een vrij mens op weg om ze te veroveren, zo leek het hem. En hij bedacht dat hij al over een uur Buenos Aires zou hebben ingenomen en achter zich gelaten.

Hij glimlachte: 'Die stad... al heel gauw zal ik er ver vandaan zijn. Het is prachtig, 's nachts vertrekken. Je trekt de gasmanette open en je start richting zuiden, en tien seconden later keer je het landschap een halve slag om en vlieg je naar het noorden. De stad is dan niets meer dan een stuk zeebodem.'

Ze dacht aan alle dingen die een mens vaarwel moet zeggen om op verovering uit te gaan.

'Houd je niet van je huis?'

'Natuurlijk houd ik van mijn huis...'

Maar ze voelde dat hij al onderweg was. Zijn brede schouders duwden al tegen de hemel. Ze wees naar boven: 'Je hebt goed weer, je weg is met sterren geplaveid...'

Hij lachte: 'Ja.'

Ze legde haar hand op zijn schouder en de lauwe warmte ontroerde haar: kon ditzelfde lichaam worden bedreigd?

'Je bent erg sterk, maar wees voorzichtig!'

'Voorzichtig, natuurlijk...'

Hij lachte opnieuw.

Hij kleedde zich aan. Voor dit feest koos hij de ruwste stoffen, het zwaarste leer, doste hij zich uit als een boer. Hoe zwaarder hij eruit zag, hoe meer ze hem bewonderde. Ze maakte zijn riem vast, knoopte zijn laarzen dicht.

'Deze laarzen zitten niet prettig.'

'Hier heb je een paar andere.'

'Geef me eens een touw voor mijn noodlamp.'

Ze keek naar hem en legde de laatste hand aan zijn wapenrusting: alles zat perfect.

'Je ziet er prachtig uit.'

Ze zag hoe hij zorgvuldig zijn haar kamde.

'Doe je dat voor de sterren?'

'Anders voel ik me oud.'

'Ik ben jaloers...'

Weer lachte hij, omhelsde haar, drukte haar tegen zijn zware kledij. Toen tilde hij haar op, met gestrekte armen, als een klein meisje en legde haar, nog steeds lachend, in bed: 'Slapen jij!'

En na de deur achter zich te hebben dichtgetrokken, zette hij op straat, te midden van al die anonieme nachtelijke voorbijgangers, de eerste stap op weg naar zijn overwinning.

Ze bleef achter. Bedroefd keek ze naar die bloemen, die boeken, die zachte warmte die voor hem niets anders was dan de bodem van de zee.

XI

Rivière laat hem binnen: 'Een mooie streek heb je me geleverd bij die laatste vlucht! Je hebt nota bene rechtsomkeert gemaakt terwijl de weersvooruitzichten goed waren: je had door kunnen vliegen. Was je bang?'

De overrompelde vlieger zwijgt. Langzaam wrijft hij de handen over elkaar. Dan heft hij zijn hoofd en kijkt Rivière recht aan: 'Ja.'

In zijn hart voelt Rivière medelijden met die moedige kerel die bang is geweest. De vlieger probeert zich te verontschuldigen: 'Ik zag niets meer. Natuurlijk, verderop... misschien... de radio zei... maar mijn boordverlichting werd zwakker en ik kon mijn handen niet eens meer zien. Ik wilde mijn navigatielichten aandoen om tenminste een vleugel te kunnen zien, maar ik zag niets. Ik voelde me alsof ik in een diep gat zat waar ik nauwelijks nog uit kon komen. Toen begon mijn motor te trillen.'

'Nee.'

'Nee?'

'Nee. We hebben die motor nagekeken, er mankeerde niets aan. Maar als je bang bent, denk je altijd dat er een motor trilt.'

'Wie zou er niet bang zijn geweest! Aan alle kanten zag ik de bergen boven me uitsteken. Toen ik hoogte wilde winnen, stuitte ik op zware remous. U weet wat dat is: zware remous als je niets ziet. In plaats van te stijgen verloor ik honderd meter. Ik zag zelfs de gyroscoop niet meer, of de drukmeters. Ik had het idee dat het toerental terugliep, dat de motor oververhit raakte, dat de oliedruk daalde... En dat allemaal in het donker, dat ellendige pikkedonker. Wat was ik blij toen ik de lichten van een stad zag!'

'Je hebt te veel fantasie. Ga nu maar.'

De vlieger stapt op.

Rivière laat zich wegzakken in zijn fauteuil en strijkt een hand door zijn grijze haren.

'Hij is de moedigste van allemaal. Wat hij die avond presteerde was geweldig, maar van die angst moet ik hem afhelpen.'

En, in een nieuwe opwelling van zwakheid: 'Wie zich bemind wil maken, hoeft de mensen alleen maar te beklagen. Ik beklaag ze bijna nooit, ik houd bijna alles voor me. En toch zou ik ook graag omringd zijn door vrienden, door menselijke genegenheid, zoals een arts die ondervindt in zijn beroep. Maar ik sta in dienst van de actie, en ik moet mijn mensen vormen en kneden om datzelfde te doen. En wat is die sterk, die geheimzinnige dwang, als ik 's avonds in mijn kantoor achter de rapporten zit! Als ik me laat gaan, als ik de dingen, hoe goed geregeld ook, op hun beloop laat, dan komen er op de een of andere manier ongelukken van. Alsof enkel en alleen mijn wil kan verhinderen dat een toestel in de lucht in stukken breekt of dat een onweer een machine oponthoud bezorgt. Soms sta ik zelf versteld van mijn eigen vermogens.'

Hij dacht verder: 'Misschien is het allemaal wel doodeenvoudig. Net zo simpel als de eeuwige strijd van een tuinman op zijn grasveld. Met het gewicht van zijn hand bedwingt hij het oerwoud dat zonder die simpele kracht onstuitbaar uit de aarde zou opschieten.'

En, denkend aan de vlieger: 'Ik behoed hem voor angst. Mijn aanval was niet tegen hem gericht maar, via hem, tegen die verlammende weerzin die een mens bekruipt tegenover het onbekende. Als ik naar hem luister, hem beklaag, zijn avontuur serieus neem, dan denkt hij dat hij aan een griezelige, geheimzinnige wereld is ontsnapt; en als mensen ergens bang voor zijn dan is het voor het mysterie. Je moet die mannen neerlaten in die donkere put zodat ze, als ze er eenmaal weer uit zijn, kunnen zeggen dat er niets was om bang voor te zijn. Deze man moet afdalen naar het diepst van de nacht, naar het dikke zwart, zonder zelfs dat kleine mijnwerkerslampje dat alleen maar een paar handen of een vleugel verlicht. Hij zal enkel en alleen met zijn brede schouders het onbekende moeten trotseren.'

Toch was er in deze strijd een stilzwijgende kameraadschap die Rivière en zijn vliegers in het diepst van hun hart verbond. Ze waren mensen van hetzelfde slag, bezield met dezelfde overwinningsdrang. Maar Rivière dacht aan die andere gevechten die hij had geleverd voor de verovering van de nacht.

In officiële kring werd het duister gevreesd als een nog niet in kaart gebrachte jungle. En om een bemanning met tweehonderd kilometer per uur op de onweersbuien, de mist en al die obstakels die de nacht onzichtbaar in zich draagt af te sturen, dat was een avontuur dat alleen maar toelaatbaar was als het om een militaire actie ging: je start vanaf een terrein bij heldere nacht, je voert een bombardement uit en keert weer naar hetzelfde terrein terug. Maar een nachtelijke lijndienst, dat kon nooit goed gaan.

'Maar,' had Rivière tegengeworpen, 'voor ons is het een kwestie van dood of leven, want we verliezen iedere nacht de voorsprong die we overdag op de treinen en de schepen hebben behaald.'

Verveeld had Rivière geluisterd naar verhalen over balansen en verzekeringen en—vooral—de publieke opinie. 'De publieke opinie!' had hij uitgeroepen, 'die zetten we naar onze hand!' En hij had gedacht: 'Wat een tijdverlies! Er is iets dat sterker is dan al deze argumenten. Want iets dat leeft, gaat voor niets uit de weg en schept, om te kunnen voortbestaan, zijn eigen wetten. Onherroepelijk!' Rivière wist niet wanneer of hoe de commerciële luchtvaart met nachtvluchten moest beginnen, maar wel dat het er hoe dan ook eens van moest komen en dat de voorbereidingen een aanvang moesten nemen. Hij dacht terug aan die groene tafellopers waaraan hij, zijn hand onder de kin, met een eigenaardig gevoel van macht naar al die bezwaren had geluisterd. Ze leken hem stuk voor stuk zinloos, al bij voorbaat door het leven weerlegd. En hij voelde zijn eigen samengebundelde kracht als een drukkend gewicht: 'Mijn motieven geven de doorslag—ik moet en ik zal winnen,' had hij gedacht. 'Dat is nu eenmaal de natuurlijke loop der dingen.' En als ze eisten dat hij met volmaakte voorschriften kwam, die ieder risico zouden uitsluiten: 'De ervaring zal moeten leren waaraan we ons te houden hebben. Kennis van regels en wetten is zonder ervaring niet mogelijk.'

Na een jaar van eindeloze strijd had Rivière gewonnen. Volgens sommigen 'vanwege zijn overtuigingskracht', volgens anderen 'vanwege zijn koppigheid, omdat hij net zo min te stuiten is als een hollende stier', en volgens Rivière gewoon omdat hij het bij het rechte eind had gehad.

Maar wat een voorzorgsmaatregelen werden er in het begin getroffen! De toestellen vertrokken niet eerder dan een uur voor zonsopgang en mochten niet later dan een uur na zonsondergang landen. Pas toen Rivière zich wat zekerder voelde van zijn experiment, durfde hij de koeriers in het holst van de nacht op weg te sturen. En hierin door vrijwel niemand gesteund, en bijna genegeerd, leverde hij voortaan een eenzame strijd.

Rivière belde voor de laatste berichten van de machines langs de route.

XII

De machine uit Patagonië was inmiddels het onweersgebied genaderd en Fabien besloot er niet omheen te vliegen. Daarvoor was het te uitgestrekt, schatte hij: hij zag bliksemflitsen tot ver in het binnenland en gigantische wolkenformaties. Hij zou proberen er onderdoor te gaan en, als dat te riskant bleek, terugkeren.

Hij keek op de hoogtemeter: zeventienhonderd meter. Hij drukte zijn handpalmen op het levier om te gaan zakken. De motor trilde hevig, het vliegtuig schudde. Fabien nam op gevoel wat hoogteroer terug en las op de kaart de hoogte van de heuvels onder hem: vijfhonderd meter. Om nog wat speelruimte te houden besloot hij naar zevenhonderd meter te gaan.

Hij offerde zijn hoogte zoals een gokker zijn fortuin inzet. Remous deed het toestel zakken en het begon nog heviger te schudden. Fabien voelde zich door onzichtbare aardverschuivingen bedreigd. Hoe sterk was de verleiding om terug te keren en weer een hemel vol sterren binnen te vliegen! Maar hij week geen graad van zijn koers.

Fabien berekende zijn kansen: misschien was het een lokale onweersbui want Trelew, het eerstvolgende veld, meldde maar driekwart bewolking. Hij hoefde dus nog geen twintig minuten in dat zwarte beton te blijven. Toch maakte hij zich ongerust.

Naar links hellend, tegen de krachtige wind in, probeerde hij wijs te worden uit de vage schijnsels die ook in de donkerste nachten blijven rondspoken. Maar hij zag niet het flauwste licht. Alleen maar een wisseling in dichtheid van de zwarte wolkenlaag —en misschien was ook dat alleen maar de vermoeidheid van zijn ogen.

Hij vouwde een briefje van de telegrafist open: 'Waar zijn we?'

Fabien had er heel wat voor over gehad om dat te weten. Hij antwoordde: 'Geen idee. We vliegen op het kompas door een onweer.'

Hij boog zich opnieuw naar buiten. Zijn zicht werd belemmerd door de vuurpluim uit de uitlaat die als een brandend boeket aan de motor hing. Normaal zou het maanlicht die bleke vlam hebben getemperd, maar in dit zwarte niets maakte hij al het overige onzichtbaar. Hij keek ernaar. Het vuur werd grillig gevlochten door de wind, als de vlam van een toorts.

Iedere dertig seconden dook Fabien met zijn hoofd in de cockpit om op de gyroscoop en het kompas te kijken. Hij durfde de zwakke rode lampen niet aan te doen want die verblindden hem altijd enige tijd, maar de instrumenten met hun radiumwijzers en -cijfers lichtten als bleke sterren op. Daar, te midden van die wijzers en cijfers, ervoer de vlieger een bedrieglijk gevoel van veiligheid: de veiligheid van een scheepskajuit waar de golven al overheen slaan. De nacht, en alles wat hij in zich droeg aan rotsen, klippen en heuvels, sloeg met eenzelfde verbijsterende noodlottigheid tegen het vliegtuig.

'Waar zijn we?' vroeg de telegrafist opnieuw.

Fabien kwam weer overeind om, naar links leunend, zijn angstige taak van wachter te hervatten. Hij had nu geen idee meer hoeveel tijd en inspanningen het nog zou kosten om zich uit deze zwarte fuik te bevrijden. Hij begon zich zelfs af te vragen of hij er ooit uit verlost zou worden. Hij had zijn leven gezet op dat ene beduimelde, verkreukelde papiertje dat hij al ontelbare malen had opengevouwd en herlezen om zijn hoop levend te houden: 'Trelew: driekwart bewolkt, zwakke westenwind.' Als Trelew driekwart bewolkt was zou hij nu bijna de lichten tussen de wolken door moeten zien. Tenzij...

Dat beloofde schijnsel in de verte dreef hem voort; maar omdat hij twijfelde noteerde hij voor de telegrafist: 'Weet niet of ik er doorheen kom. Vraag of het weer achter ons nog goed is.'

Het antwoord deed hem schrikken: 'Commodoro meldt: terugkeer naar hier onmogelijk. Orkaan.'

Hij begon een vermoeden te krijgen van het brute offensief dat vanaf de Cordillera de los Andes tot aan zee in gang was gezet. Voordat hij een stad zou kunnen bereiken zou de orkaan er al overheen razen.

'Vraag het weer van San Antonio.'

'San Antonio meldt: Westenwind, aanwakkerend tot storm. Geheel bewolkt. San Antonio heeft een slechte ontvangst vanwege storingen. Zelf hoor ik ook bijna niets. Ik denk dat ik zo meteen de antenne zal moeten inhalen met het oog op blikseminslag. Ga je terug? Wat ben je van plan?'

'Laat me met rust. Vraag het weer van Bahia Blanca...'

'Bahia Blanca zegt: Verwachten binnen twintig minuten zware westerstorm.'

'Vraag het weer van Trelew.'

'Trelew antwoordt: Orkaan, dertig meter per seconde, west, stortregens.'

'Sein naar Buenos Aires: Aan alle kanten ingesloten. Stormgebied strekt zich uit over honderd kilometer. Zien niets meer. Wat moeten we doen?'

Voor de vlieger was deze nacht oeverloos want hij voerde noch naar een veilige haven (ze waren allemaal ontoegankelijk), noch naar de dageraad: over een uur en veertig minuten zou de brandstof op zijn. Oeverloos ook omdat ze vroeg of laat gedwongen zouden zijn blindelings neer te glijden in het dikke zwart.

Als hij het daglicht maar had kunnen halen...

Fabien zag de dageraad voor zich als een goudgeel strand waar ze, na deze vreselijke nacht, hadden kunnen aanleggen. Onder het bedreigde vliegtuig zou dan de oever der vlakten zijn opgedoemd. De rustende aarde zou haar slapende boerderijen, haar kudden en haar heuvels hebben aangedragen. Al dat wrakhout dat rondslingerde in het duister, zou hem niet meer kunnen deren. Hoe hard zou hij niet naar die dageraad zijn toegezwommen als hij dat gekund had.

Hij wist zich nu volledig omsingeld. De uiteindelijke afloop, goed of slecht, zou hier in het donker worden beslist.

Het was niet anders. Soms had hij bij het aanbreken van de dag het gevoel alsof hij herstelde van een ziekte.

Maar waarom zou hij zich blind staren op het oosten, op het huis van de zon: tussen hem en haar lag immers de nacht, als een afgrond zo diep dat hij de overkant nooit zou kunnen halen.

XIII

'De koerier uit Asuncion schiet goed op. Hij zal tegen twee uur hier zijn. Maar we verwachten veel vertraging voor de machine uit Patagonië, die schijnt problemen te hebben.'

'Goed, meneer Rivière.'

'Misschien laten we het toestel naar Europa er niet op wachten: zodra de machine uit Asuncion is geland kom je naar mij voor instructies. Houd je zo lang gereed.'

Rivière nam nu opnieuw de weerberichten van de velden uit het noorden door. De koerier naar Europa stond een maanverlichte route te wachten: 'Onbewolkt, volle maan, windstil.' De bergen van Brazilië, scherp afgetekend tegen de stralende sterrenhemel, lieten hun dichte haardos van donkere wouden recht naar beneden vallen in het zilveren schuim van de zee. Wouden die onder de eindeloze stroom van manestralen niet van kleur veranderden. En zwart lagen ook de eilanden, als wrakstukken, in zee. Over die hele route scheen die onuitputtelijke maan; een fontein van licht.

Als Rivière liet starten, zou de bemanning van de machine naar Europa een bestendige wereld binnenvliegen die de hele nacht zachtjes schitterde. Een wereld waarin niets het evenwicht tussen licht en duisternis zou bedreigen. Waarin zelfs die zuivere, strelende winden die bij afkoeling in een paar uur tijds de hemel kunnen doen betrekken, geen kans hadden.

Maar Rivière voelde aarzeling tegenover die stralende hemel, zoals een goudzoeker terugdeinst voor een verboden ertsveld. Wat er nu in het zuiden gebeurde stelde hem, de enige pleitbezorger van de nachtvluchten, in het ongelijk. Door een ongeluk in Patagonië zouden zijn tegenstanders moreel zo sterk komen te staan dat zijn geloof en overtuigingskracht voortaan niet meer zouden baten. Zijn eigen vertrouwen in de zaak was ongeschonden: door een zwakke schakel in zijn systeem kon er een drama gebeuren, maar dat drama zou alleen maar bewijzen waar de zwakke plek zat, en verder niets. 'Misschien hebben we weerstations in het westen nodig... Dat moet worden onderzocht.' Hij dacht verder: 'Ik heb nog evenveel goede argumenten als altijd, en één oorzaak van mogelijke ongelukken

minder: de oorzaak die nu aan het licht zal komen.'
Tegenslag maakt de sterken sterker. Maar helaas
moet je tegenover de mensen een spel spelen waarin
de ware betekenis van de dingen nauwelijks meetelt.
Het gaat alleen maar om uiterlijkheden, daarop
boek je je miserabele winst. En als je de schijn tegen
hebt door een nederlaag, dan kun je geen kant meer
uit.

Rivière belde: 'Bahia Blanca laat nog steeds niets
van zich horen?'

'Nee.'

'Probeer dan contact te krijgen per telefoon.'

Vijf minuten later: 'Waarom geven jullie niets
door?'

'We ontvangen de machine niet.'

'Geeft hij niets door?'

'Weten we niet. Er is te veel onweer. Ook al zou
hij seinen, we kunnen hem toch niet ontvangen.'

'Ontvangt Trelew ons?'

'Wíj horen Trelew niet.'

'Bel dan op.'

'Dat hebben we geprobeerd. De verbinding is
verbroken.'

'Wat voor weer is het bij jullie?'

'Dreigend. Het weerlicht in het westen en zuiden, en het is erg drukkend.'

'Wind?'

'Nu nog zwak, maar dat zal geen tien minuten
meer duren. Het onweer komt snel naderbij.'

Stilte.

'Bahia Blanca? Hoort u nog? Goed. Bel ons over tien minuten terug.'

Rivière bladerde de telegrammen van de velden in het zuiden door. Allemaal meldden ze hetzelfde: het toestel zweeg. Een paar stations antwoordden Buenos Aires al niet meer, en op de kaart groeide de vlek van zwijgende provincies waar de stadjes al zuchtten onder de cycloon, alle deuren gesloten, alle huizen van de onverlichte straten net zo van de wereld afgesloten en verloren in de nacht als een schip. Pas de dageraad zou hen verlossen.

Toch had Rivière, gebogen over zijn kaart, nog steeds hoop ergens een stukje heldere hemel te vinden. Bij de politie van meer dan dertig provinciesteden had hij telegrafisch de weersgesteldheid opgevraagd en de antwoorden begonnen nu binnen te komen. Over tweeduizend kilometer hadden alle radiostations opdracht om als ze het vliegtuig mochten ontvangen dat binnen dertig seconden aan Buenos Aires door te geven. Buenos Aires zou dan melden waar het was opgeklaard, hetgeen dan weer aan Fabien kon worden doorgegeven.

De klerken, die om een uur 's nachts aanwezig moesten zijn, zaten weer aan hun bureaus. Daar hoorden ze bedekte toespelingen dat de nachtvluchten misschien zouden worden gestaakt en dat zelfs de Europa-koerier alleen nog maar overdag zou vertrekken. Ze spraken op gedempte toon over Fabien, de cycloon, en vooral over Rivière. Ze voelden dat hij in het kantoor was, dichtbij, langzaam maar

82

zeker vermorzeld onder de tegenslag die de natuur hem bereidde.

Maar toen verstomden de stemmen: Rivière was in de deuropening verschenen, zijn jas aan en zijn hoed als altijd over de ogen, de eeuwige reiziger. Hij stapte rustig op de chef de bureau af: 'Het is tien over een, zijn de papieren voor de machine naar Europa in orde?'

'Ik... ik dacht...'

'Je moet niet denken. Je moet je werk doen.'

Hij keerde zich langzaam naar een open venster, de handen op de rug gevouwen.

Een van de klerken kwam bij hem staan: 'Meneer de directeur, we krijgen weinig antwoorden binnen. Ze hebben ons gemeld dat in het binnenland al veel telegraafverbindingen vernield zijn.'

'Zo.'

Rivière staarde roerloos naar de nacht.

Ieder bericht vormde een nieuwe bedreiging voor de machine uit Patagonië. Iedere stad die nog kon antwoorden voordat de verbindingen werden verbroken, maakte melding van de opmars van de orkaan, als van een vijandig leger. 'Hij komt uit het binnenland, van de Cordillera, hij raast langs de hele route tot aan zee...'

Rivière vond de schittering van de sterren vals, de lucht te vochtig. Wat een vreemde nacht! Een nacht waarin ineens grote voze plekken opdoemden, als in het vlees van een glanzende vrucht. Boven Buenos

Aires spande zich nog een hemel vol sterren, maar dat was niets dan een oase, een momentopname. Bovendien lag deze veilige haven buiten het bereik van de bemanning. Een onheilspellende nacht waarin een verraderlijke wind zijn verderf uitzaaide. Een nacht die moeilijk te overwinnen zou zijn.

Ergens in haar duistere diepten was een vliegtuig in gevaar en zij, op de oever, leverden een machteloze strijd.

XIV

De vrouw van Fabien belde.

Op elke nachtelijke terugreis uit Patagonië berekende ze de positie van het vliegtuig: 'Nu start hij in Trelew...' Dan sliep ze weer in. En een tijdje later: 'Nu moet hij San Antonio naderen, hij moet de lichten al kunnen zien...' Dan stond ze op, schoof de gordijnen opzij om de hemel te keuren: 'Hij zal last hebben van al die wolken...' Soms trok de maan langs de hemel, als een herder. Dan ging de jonge vrouw weer slapen, gerustgesteld door de maan en de sterren, die duizenden metgezellen van haar man. Tegen enen wist ze dat hij vlakbij was: 'Hij kan niet ver meer zijn, hij moet Buenos Aires al kunnen zien...' Dan stond ze weer op en bereidde hem een maaltijd en hete koffie: 'Het is daarboven zo koud...' Ze ontving hem altijd alsof hij van een besneeuwde bergtop was teruggekeerd: 'Heb je het niet koud?' 'Nee hoor!' 'Neem toch maar iets warms.' Tegen kwart over een waren alle voorbereidingen getroffen en belde ze op. Net als anders vroeg ze ook deze nacht: 'Is Fabien al geland?'

De klerk die ze aan de lijn had werd wat nerveus: 'Met wie spreek ik?'

'Met Simone Fabien.'

'Oh! Wacht u even...'

De klerk durfde niets te zeggen en gaf de hoorn aan de chef de bureau: 'Met wie spreek ik?'

'Simone Fabien.'

'Oh... wat kan ik voor u doen?'

'Is mijn man al geland?'

Er volgde een korte, voor haar wellicht onbegrijpelijke stilte, toen klonk het simpele antwoord: 'Nee.'

'Heeft hij vertraging?'

'Ja.'

Opnieuw een stilte.

'Ja... vertraging.'

'Oh!'

Hoe pijnlijk getroffen klonk dat 'oh!' Vertraging betekent niets... niets... maar als het lang duurt...

'Hoe laat is hij in Buenos Aires?'

'Hoe laat hij hier is? Dat... dat weten we niet.'

Nu stuitte ze op een muur, kreeg nog slechts de echo van haar eigen vragen.

'Alstublieft, antwoordt u mij! Waar zit hij?'

'Waar hij nu is? Even vragen...'

Die traagheid deed haar pijn. Er was iets aan de hand, daar, achter die muur.

Eindelijk kwam er een antwoord: 'Hij is om half acht van Commodoro gestart.'

'En daarna?'

'Daarna? Enorme vertraging... enorme vertraging door het slechte weer...'

'Slecht weer?'

Wat een onrecht, wat een verlakkerij, die luie maan daar boven Buenos Aires! Opeens schoot het haar te binnen dat het van Commodoro naar Trelew nauwelijks twee uur vliegen was: 'Hij is dus al zes uur onderweg naar Trelew! Maar hij stuurt u toch berichten! Wat meldt hij dan?'

'Wat hij meldt... Wel, u moet begrijpen... dat zijn berichten niet doorkomen bij zulk weer.'

'Wat bedoelt u, zulk weer?'

'We bellen u zodra we iets weten, mevrouw.'

'U weet dus niets?'

'Tot straks, mevrouw.'

'Nee! Nee! Ik wil de directeur spreken!'

'De directeur heeft het erg druk, hij is in bespreking.'

'Dat kan me niet schelen. Dat kan me niet schelen! Ik wil hem spreken!'

De chef de bureau wiste zich het voorhoofd af: 'Een ogenblikje...'

Hij duwde de deur van Rivières kantoor open: 'Mevrouw Fabien wil u spreken.'

'Daar heb je het al,' dacht Rivière, 'precies waar ik bang voor was.' De emotionele aspecten van het drama kondigden zich aan. Eerst wilde hij haar telefoontje afwimpelen: moeders en echtgenotes horen niet thuis in de operatiekamer. Als een schip in gevaar is, worden emoties het zwijgen opgelegd, want paniek heeft nog nooit een mens gered. Toch stemde hij toe: 'Zet maar over op mijn toestel.'

Hij luisterde naar dat verre, bevende stemmetje en wist direct dat hij haar geen antwoord kon geven. Het zou voor beiden een volledig vruchteloze confrontatie worden.

'Mevrouw, blijft u toch alstublieft kalm! Het gebeurt immers zo vaak in ons werk dat we lang op berichten moeten wachten.'

Hij had die grens bereikt waar het niet langer om het probleem van het persoonlijke leed gaat maar het probleem van de actie zich aandient. Rivière werd niet zozeer geconfronteerd met Fabiens vrouw, maar met een andere wereld, waarin andere waarden golden. Het enige dat hij kon doen, was met medelijden naar dat stemmetje luisteren, naar die droevige, maar vijandige muziek. Want noch actie noch persoonlijk geluk kan worden gedeeld: ze zijn met elkaar in strijd. Ook deze vrouw sprak uit naam van een ondeelbare wereld met eigen rechten en plichten. De wereld van lamplicht over een tafel, van een lichaam dat het hare voor zich opeiste, een paradijs van verwachtingen, tederheid en herinneringen. Ze eiste haar bezit op en dat was haar goed recht. En ook hij, Rivière, had gelijk. Maar er was niets wat hij tegen het gelijk van deze vrouw kon inbrengen. Tegen het licht van een eenvoudige huiskamerlamp ontdekte hij zijn eigen wereld, een onbeschrijflijke, onmenselijke werkelijkheid.

'Mevrouw...'

Ze luisterde al niet meer. Ze had haar krachteloze vuisten tot bloedens toe tegen de muur geslagen en was, zo leek het hem, bijna aan zijn voeten in elkaar gezakt...

Een ingenieur had eens tegen Rivière gezegd, toen ze zich bij een brug in aanbouw over een gewonde bogen: 'Is die brug deze prijs, dit verbrijzelde gezicht waard?' Geen van de boeren voor wie de brug werd gebouwd zou ooit iemands gezicht zo vreselijk willen verminken om zich de omweg naar de volgende brug te besparen. En toch werden er bruggen gebouwd. De ingenieur had eraan toe-gevoegd: 'Het algemeen belang bestaat uit allemaal stukjes persoonlijk belang: dat is het enige dat het rechtvaardigt.'

'Maar,' had Rivière hem later geantwoord, 'als een mensenleven geen prijs heeft, dan handelen we toch altijd alsof er iets is dat meer waard is dan dat... maar wat?'

En denkend aan de bemanning voelde Rivière zijn hart ineenkrimpen. Actie, zelfs het bouwen van een brug, vernietigt gelukkige levens. En Rivière kon nu niet langer om de vraag heen: 'In naam van

89

wat?' Die mannen die nu misschien verloren zouden gaan, hadden een gelukkig leven kunnen hebben, zo dacht hij. Hij zag gezichten voor zich, 's avonds, in de veilige beslotenheid van een lichtkring. 'In naam van wat heb ik ze daaruit weggehaald?' In naam van wat had hij ze weggerukt uit hun persoonlijke geluk? Is het niet juist de allereerste plicht dat geluk in bescherming te nemen? Hijzelf was het die dat geluk ruw verstoorde. En toch, op een dag verbleken die gouden heiligdommen noodlottigerwijze vanzelf, als luchtspiegelingen. Eens worden ze door ouderdom en dood verwoest, meedogenlozer dan door de mens. Misschien is er iets anders, iets duurzamers dat bewaard moet blijven; misschien is het dat deel van de mens dat hij, Rivière, door zijn werk probeert te redden? Zo niet, dan bestaat er niets dat de actie kan rechtvaardigen.

'Liefhebben, liefhebben alleen, is een doodlopend spoor!'

Rivière had het vage idee dat er een grotere taak bestond dan lief te hebben. En misschien ging het daarbij ook wel om liefde, maar dan om liefde van een volkomen ander soort. Er kwam een zin bij hem op: 'Het belangrijkste is hen onsterfelijk te maken...' Waar had hij dat gelezen? 'Wat u in uzelf najaagt zal verloren gaan...' Hij zag een tempel van de zonnegod van de oude Inca's in Peru voor zich. Stenen die rechtop stonden op een berg. Wat zou er zonder die stenen zijn overgebleven van een machtige beschaving, die zich door het gewicht van haar stenen tot op de dag van vandaag deed voelen, als een soort wraak? In de naam van welke hardvochtigheid, welke vreemde liefde, had de leider van die oude volkeren zijn onderdanen gedwongen die tempel op de berg op te richten en daarmee gestalte te geven aan hun onsterfelijkheid? Rivière zag weer de menigten uit de kleine stadjes die 's avonds rond de muziektent slenteren. 'Dat soort geluk is als een harnas,' dacht hij. De leider van dat oude volk had misschien weinig medelijden gehad met het leed van zijn mensen, maar wel een oneindig medelijden met hun dood. Niet met de dood als individueel drama, maar als de ondergang van een heel volk dat door een zee van zand zou worden weggewist. En zo liet hij zijn volk stenen oprichten, want die zouden tenminste niet door de woestijn kunnen worden verzwolgen.

XV

Misschien zou dit in vieren gevouwen papiertje zijn redding zijn. Fabien vouwde het open, de kaken opeengeklemd: 'Onmogelijk verbinding te krijgen met Buenos Aires. Ik kan niet eens meer seinen, de vonken springen op mijn vingers.'

Fabien, geïrriteerd, wilde antwoorden, maar toen zijn handen de stuurknuppel loslieten om te gaan schrijven, sloeg er een krachtige golf door zijn lichaam: de remous tilde hem in zijn vijf ton metaal omhoog en slingerde hem heen en weer. Hij gaf het op.

Zijn handen kregen nu weer greep op de deining en brachten de machine tot rust.

Fabien ademde zwaar. Als de telegrafist de antenne zou binnenhalen uit angst voor het onweer, zou hij hem bij aankomst de botten breken. Ze moesten tot iedere prijs verbinding krijgen met Buenos Aires—alsof iemand hun, over meer dan vijftienhonderd kilometer, het touw kon toewerpen dat hen uit de afgrond zou redden. Bij gebrek aan een beetje licht—al was het maar het flauwe schijnsel van een herberglamp—als bewijs dat de aarde nog bestond, had hij in ieder geval een stem nodig, eentje maar, een stem uit een wereld die al niet meer bestond. De piloot zwaaide met zijn vuist door het rode licht van de cockpit om die ander achter hem deelgenoot te maken van de vreselijke werkelijkheid—maar die ander boog zich over verwoeste vlakten met verzwolgen steden en gedoofde lichten, en zag niets.

Fabien zou ieder advies hebben opgevolgd dat men hem zou hebben toegeschreeuwd. Hij dacht: 'Als ze me zeggen te gaan cirkelen, dan ga ik cirkelen; als ze me zeggen pal zuid te koersen...' Want ergens lagen ze nog, die vreedzame akkers, zacht onder de brede schaduwen van het maanlicht. De kameraden die zich daar beneden in de beschutting van lampen, zo mooi als bloemen, over hun kaarten bogen, moesten toch weten waar die vreedzame plekken waren, almachtig en geleerd als ze waren! En wat wist hij, behalve dat de remous en de nacht hun zwarte woeste stroom met het geweld van een lawine tegen hem aandrukte? Je kon twee mannen te midden van windhozen en vlammende wolken toch niet in de steek laten! Dat kon toch niet! Ze zouden hem een opdracht geven: 'Stuur 240 graden...' En hij zou 240 graden sturen. Maar hij was alleen.

Hij had het idee dat ook de materie in opstand kwam. De motor vibreerde bij iedere klap zo hevig dat de massa van het vliegtuig als van woede begon te trillen. Fabien had al zijn krachten nodig om het toestel de baas te blijven en tuurde, het hoofd voorover, naar de kunstmatige horizon. Buiten de cockpit kon hij hemel en aarde niet meer van elkaar onderscheiden, was hij verloren in een duisternis waarin alles zich oploste—een duisternis zoals bij het ontstaan van de wereld moest hebben geheerst. Maar de wijzers van de gyroscoop sloegen steeds heftiger uit, waren bijna niet meer te volgen. Nu al leverde de vlieger die ze in verwarring brachten, een ongelijke strijd. Hij verloor hoogte en zakte steeds dieper in die duisternis weg. Hij zag dat zijn hoogtemeter vijfhonderd aangaf—de hoogte van de heuvels. Hij voelde hun duizelingwekkende branding op zich afkomen. Hij begreep ook dat alle welvingen van de aarde onder hem, waarvan de geringste hem zou kunnen verpletteren, als het ware losgerukt waren van hun oorsprong, losgeschroefd, en nu als dollen om hem heen waren gaan draaien. Om hem heen een ondoorgrondelijke dans waren begonnen die hem steeds meer in het nauw dreef.

Hij trok zijn conclusies. Op het gevaar af zich te pletter te vliegen, zou hij gaan landen, waar dan ook. En om in ieder geval de heuvels te kunnen ver-

mijden, schoot hij zijn enige vuurpijl af. De pijl
vlamde op, trok een spiraal, verlichtte een vlakte en
doofde daarin uit: het was de zee.

Zijn gedachten gingen nu razendsnel: 'Verloren.
Met een correctie van veertig graden toch nog afgedreven. Het is een cycloon. Waar is het land?' Hij
koerste pal west en dacht: 'Zonder vuurpijl is dit
zelfmoord.' Dit moest eens gebeuren. En zijn kameraad, daar achter hem... Hij had vast de antenne
binnengehaald. Maar de vlieger maakte zich niet
langer kwaad. Zelf hoefde hij slechts zijn handen te
openen en hun leven zou wegglijden, als ijdel stof.
Zijn eigen kloppend hart en dat van zijn kameraad
lagen in zijn handen. En plotseling vervulden die
handen hem met ontzetting.

Om het effect van de woeste klappen van de
remous op zijn stuurknuppel op te vangen, had hij
zich uit alle macht eraan vastgeklampt. En nog
steeds hield hij het levier krampachtig tussen de handen. Door die inspanning was alle gevoel uit zijn
handen weggetrokken. Hij wilde zijn vingers bewegen om ze te kunnen voelen, om te weten of ze hem
nog gehoorzaamden. Er hing iets vreemds onder
aan zijn armen: stukken gummi, ongevoelig en
week. 'Als ik me maar sterk genoeg inbeeld dat ik
druk,' dacht hij. Maar hij wist niet of die gedachte
ook tot zijn handen doordrong. En toen hij het stoten van het levier alleen nog in de schouders voelde:
'Ik houd het niet meer. Mijn handen laten los...'
Maar tegelijk schrok hij van zijn eigen woorden,

want dit keer meende hij zijn handen te voelen gehoorzamen aan de geheimzinnige kracht van zijn verbeelding, voelde hij ze langzaam opengaan in het donker, om hem uit te leveren.

Hij had nog door kunnen worstelen, zijn geluk beproeven: er bestaat geen noodlot buiten de mens. Zijn noodlot ligt in hemzelf besloten en slaat toe in de minuut waarin hij zijn eigen kwetsbaarheid beseft: dan zullen zijn eigen fouten hem meesleuren in een duizelingwekkende val.

En precies in die minuut verschenen er boven zijn hoofd, in een spleet in het duister, een paar sterren—als een fataal lokaas aan het eind van een fuik.

Hij wist dat het een valstrik was: je ziet drie sterren door een gat, je klimt erheen en daarna kun je niet meer terug en rest je niets anders dan in het aas te bijten...

Maar zijn honger naar licht was zo groot dat hij aan de klim begon.

XVI

Hij klom en kreeg de machine beter onder controle omdat hij zich nu op de sterren kon oriënteren. Als bleke magneten trokken ze hem naar zich toe. Zo lang had hij naar licht gesmacht, dat hij het vaagste schijnsel blindelings zou hebben gevolgd. Hij zou al gelukkig zijn geweest met een klein lampje en zou tot zijn dood toe om dat teken waarnaar hij zo hongerde, heen hebben gedraaid. En daar ging hij nu, op weg naar velden van licht.

Stukje voor stukje hoogte winnend, vloog hij in een spiraal door dat gat dat zich had geopend en zich nu weer onder hem sloot. Naarmate hij steeg verloren de wolken hun modderzwarte kleur en dreven ze als steeds helderder en witter wordende golven op hem af. Fabien kwam boven.

Zijn verrassing was hevig: de hemel was zo helder dat hij er door verblind werd. Een paar seconden moest hij de ogen sluiten. Nooit had hij vermoed dat wolken 's nachts zo verblindend konden zijn. Maar de volle maan en de sterrenmassa's hadden ze in stralende golven veranderd.

Opeens, op hetzelfde moment dat het vliegtuig de wolken verliet, was het in een bijna onwaarschijnlijke kalmte gekomen. Het werd door geen enkele golf meer opgetild. Als een schuit die het havenhoofd passeert, kwam het in roerloos water terecht. Het was binnengelopen in een verborgen deel van de hemel, verscholen als de baaien van gelukzalige eilanden. Onder hem schiep de orkaan een andere wereld, honderden meters dik, waar rukwinden, stortbuien en bliksemflitsen heersten, maar aan de sterren een gezicht van kristal en sneeuw liet zien.

Fabien dacht dat hij in een wonderlijke voorhof van de hemel was terechtgekomen, want alles begon op te lichten: zijn handen, zijn kleren, de vleugels. Het licht kwam niet van de sterren maar steeg op van die witte massa's onder hem en om hem heen.

De wolken onder hem weerkaatsten het witte licht van de maan en zo ook de enorme wolkentorens links en rechts van hem. De bemanning baadde in een zwevend, melkachtig licht. Fabien keerde zich om en zag de telegrafist glimlachen.

'Dit is veel beter!' riep hij.

Maar zijn stem ging verloren in het lawaai van

het toestel en hun enige contact was die glimlach.

'Ik lijk wel gek, dat ik hier zit te lachen,' dacht Fabien. 'Ik heb geen schijn van kans.'

Toch was hij uit de greep van duizenden donkere armen verlost. Hij was van zijn knellende banden bevrijd als een gevangene die een tijdje alleen tussen de bloemen mag wandelen.

'Dit is te mooi,' dacht Fabien. Hij zwierf rond tussen de sterren die dicht opeengestapeld waren, als in een schatkamer; in een wereld waarin niets, maar dan ook absoluut niets leefde behalve hij en zijn kameraad. Als een stel dieven uit een sprookje zaten ze opgesloten tussen de muren van een volle schatkamer waaruit geen uitweg mogelijk was. Te midden van berijpte juwelen zwierven ze voort, onmetelijk rijk, maar voorgoed verloren.

XVII

Een telegrafist van Commodoro Rivadavia, een veld in Patagonië, maakte een bruusk gebaar. Allen die machteloos op het veld de wacht hielden, verzamelden zich om hem heen en bogen zich voorover. Ze bogen zich over een wit, fel belicht stuk papier. De hand van de telegrafist aarzelde nog, zijn potlood bleef onzeker boven het papier hangen. Zijn hand hield de letters nog gevangen, maar zijn vingers trilden al.

'Onweer?'

De telegrafist knikte. Door het geknetter kon hij geen wijs worden uit de seinen. Daarop noteerde hij een paar onbegrijpelijke krabbels. Toen een paar woorden. Daarna kon de tekst worden gereconstrueerd: 'Zitten vast op 3800 voet boven de orkaan.

Koersen pal west, richting binnenland. Waren afgedreven tot boven zee. Onder ons zit alles potdicht. Weten niet of we nog steeds boven zee zitten. Meldt ons of de orkaan zich uitstrekt tot in het binnenland.'

Vanwege het onweer moest het telegram, om Buenos Aires te bereiken, van post naar post worden doorgegeven. Het bericht ging op weg door de nacht, als een kaars die telkens weer opnieuw wordt aangestoken.

Buenos Aires liet antwoorden: 'Orkaan overal in het binnenland. Hoeveel brandstof hebben jullie nog?'

'Voor een half uur.'

En die zin, van post naar post gezonden, bereikte tenslotte Buenos Aires. De bemanning was gedoemd om binnen dertig minuten in een orkaan te duiken die hen zou meesleuren naar de grond.

XVIII

Rivière is in overpeinzing verzonken. Hij heeft geen hoop meer: deze bemanning zal ergens in de nacht vergaan.

Rivière herinnert zich een beeld dat als kind grote indruk op hem heeft gemaakt: mensen zijn bezig een vijver leeg te pompen, op zoek naar een lijk. Maar ook hier zullen ze niets vinden—niet voordat die donkere massa van de aarde is weggeëbd en de stranden, vlakten en korenvelden weer heeft prijsgegeven aan de dageraad. Misschien zal een paar eenvoudige boeren twee kinderen vinden die met het gezicht in hun armholte liggen te slapen. Maar dan heeft de nacht hen al verdronken.

Rivière denkt aan de schatten die verscholen liggen in de spelonken van de nacht, zoals in sprookjes op de zeebodem. Appelbomen die de dag afwachten in hun volle bloesempracht, bloesems die nog geen vrucht dragen. De nacht is rijk, vol van geuren, slapende lammetjes en bloemen in de knop. Langzaam zal het licht zich terugtrekken over de vette akkers, de dampende bossen, de bedauwde klavervelden. Maar ergens in die nu zo lieflijke heuvels, tussen de lammeren, in een wereld in zoete rust, zullen twee kinderen liggen, alsof ze slapen. En iets van de zichtbare wereld zal naar die andere wereld zijn overgevloeid.

Rivière kent de bezorgdheid en tederheid van Fabiens vrouw: die liefde was hem maar tijdelijk gegund, als een stukje speelgoed aan een arm kind. Rivière denkt aan Fabiens handen die nu nog maar een paar minuten middels het levier het lot bedwingen. Handen die hebben gestreeld. Die zich op een borst hebben gelegd en daar, als een goddelijke hand, beroering teweegbrachten. Handen die zich om een gezicht hebben gelegd en dat gezicht hebben veranderd. Handen met een wonderbaarlijke kracht.

Fabien dwaalt boven een schitterende wolkenzee, maar beneden wacht de eeuwigheid. Hij is verloren tussen de sterrenmassa's waar hij het enige levende wezen is. Nog houdt hij de wereld in zijn hand en wiegt haar aan zijn borst. Met zijn levier omklemt hij de menselijke rijkdom, die nutteloze schat die hij wanhopig van de ene ster naar de andere sleept, maar onherroepelijk terug zal moeten geven.

Rivière bedenkt dat nog één radiostation hem hoort. Het enige dat Fabien nog met de wereld verbindt is een muzikale golf, een modulatie in mineur. Geen jammerkreet. Geen schreeuw. Maar de zuiverste klank waarmee wanhoop zich ooit heeft geuit.

XIX

Robineau haalde hem uit zijn eenzame overpeinzing: 'Meneer de directeur, ik dacht... misschien
kunnen we proberen...'

Eigenlijk had hij geen voorstel in gedachten maar
wilde hij alleen zijn goede wil tonen. Graag had hij
een oplossing gevonden, en hij zocht ernaar op de
manier waarop je een kruiswoordraadsel oplost. Hij
vond altijd oplossingen, en Rivière luisterde nooit:
'Hoor eens, Robineau, er zijn geen oplossingen in
het leven. Er zijn alleen krachten in beweging, die
moet je creëren en dan volgen de oplossingen vanzelf.' Daarom beperkte Robineau zijn rol tot die
van kracht in beweging in het gezelschap van de
monteurs. Een bescheiden kracht, die de schroefbla-
den voor roest behoedde.

Maar bij de gebeurtenissen van deze nacht stond Robineau onthand. Zijn hoedanigheid van inspecteur was van geen enkele invloed op het weer, en evenmin op de bemanning van een spookschip die al lang niet meer vocht voor een stiptheidspremie maar om te ontsnappen aan de enige sanctie die alle strafmaatregelen van Robineau nietig verklaarde, namelijk de dood.

En Robineau, niet langer van nut, zwierf werkeloos door de kantoorvertrekken.

Fabiens vrouw was, gedreven door onrust, naar het kantoor gekomen. Ze wachtte nu in het bureau van de klerken tot Rivière haar te woord zou staan. De klerken wierpen tersluikse blikken op haar gezicht. Dat gaf haar een gevoel van schaamte en angstig keek ze om zich heen: alles hier in deze ruimte wees haar aanwezigheid af. Die mannen die maar door bleven werken, alsof ze over lijken heen marcheerden; die dossiers waarin het menselijk leven, het menselijk leed, slechts hun weerslag vonden in harde cijfers. Ze zocht naar tekens die iets van Fabien vertelden. Thuis wees alles op zijn afwezigheid: het half opengeslagen bed, de koffie die klaarstond, de bloemen... Maar hier ontdekte ze niet de geringste verwijzing. Alles hier verzette zich tegen medelijden, vriendschap, herinnering. Het enige dat ze hoorde—want niemand sprak tegen haar—was de verwensing van een employé die om een verzamelstaat riep: 'De verzendlijst van de dynamo's voor Santos, verdomme!' Ze keek naar die man met een uitdrukking van grenzeloze verbazing. En toen naar de muur, waar een kaart hing. Haar lippen trilden een beetje, nauwelijks merkbaar.

Ze kwam tot de pijnlijke gewaarwording dat ze hier een vijandige werkelijkheid vertegenwoordigde en had bijna spijt dat ze gekomen was. Het liefst zou ze zich verstoppen en uit angst te veel op te vallen, te gaan hoesten, te huilen, hield ze zich in. Ze was hier een indringster, ongepast, alsof ze naakt was binnengelopen. Maar haar aanwezigheid was zo dwingend dat de tersluikse blikken onophoudelijk haar gezicht bleven afspeuren. Ze was een bijzonder mooie vrouw. Ze onthulde deze mannen iets van de zuivere wereld van het geluk. Ze onthulde iets van de kostbare materie die men, zonder het te beseffen, door de actie aantast. Ze sloot haar ogen onder al die blikken. Ze liet iets zien van dat vredige geluk dat men, zonder het te beseffen, kan verwoesten.

Rivière ontving haar.

Ze kwam een schuchter pleidooi houden voor haar bloemen, haar koffie, haar jonge lichaam. In de kou van dit kantoor begonnen haar lippen weer te trillen. Ook zij was zich in deze andere wereld bewust van haar eigen werkelijkheid. Alles wat zich in haar te weer stelde aan woeste, bijna ongebreidelde liefde, aan toewijding, leek hier ineens ongepast, egoïstisch bijna. Het liefst was ze weggerend: 'Ik stoor u...'

'Mevrouw,' zei Rivière, ' u stoort me niet. Helaas

111

kunnen u en ik niets anders doen dan afwachten.'

Ze haalde even de schouders op, en Rivière begreep de betekenis van dat gebaar: 'Wat moet ik met die lamp, die gedekte tafel, die bloemen die ik straks terug zal vinden...' Een jonge moeder had eens tegen hem gezegd: 'De dood van mijn kind kan ik nog steeds niet bevatten. Het zijn die kleine dingen die hard aankomen, de kleertjes die ik terugvind, die moederlijke warmte die ik 's nachts als ik wakker word in me voel opkomen en die voortaan nutteloos is, net als mijn melk...' Ook voor deze vrouw zou de dood van Fabien pas morgen beginnen: met iedere voortaan zinledige handeling, met ieder voorwerp, zou hij langzaam uit haar huis verdwijnen.

Rivière onderdrukte een gevoel van diep medelijden: 'Mevrouw...'

Maar de jonge vrouw liep weg, met een bijna nederige glimlach, onbewust van haar macht.

Rivière ging moeizaam weer zitten: 'Maar ze helpt me te ontdekken wat ik zoek...'

Hij trommelde verstrooid met de vingers op de telegrammen uit het noorden. Hij dacht na: 'We vragen niet om onsterfelijkheid—maar we willen onze daden en dingen niet ineens van hun zin beroofd zien. Want dan wordt de leegte om ons heen zichtbaar...'

Zijn blik viel op de telegrammen: 'En zo kondigt de dood zich dus bij ons aan: in berichten die niet langer zin hebben...'

Hij keek naar Robineau. Die middelmatige kerel was nu overbodig, zijn aanwezigheid had geen enkele zin. Rivière zei bijna hard; 'Moet ík soms werk voor je zoeken?'

Daarop duwde Rivière de deur open naar het bureau van de klerken en de verdwijning van Fabien trof hem, onmiskenbaar, in tekenen die mevrouw Fabien niet had kunnen zien. Het kaartje van de RB 903, het toestel van Fabien, hing op het prikbord al in het rijtje van niet beschikbaar materieel. De klerken die de papieren voor de machine naar Europa voorbereidden, voerden niet veel uit, in de wetenschap dat het vertrek van de machine zou worden vertraagd. Vanaf het veld werd telefonisch om instructies gevraagd voor de arbeiders die nu doelloos zaten te wachten. Alle normale levensfuncties waren vertraagd. 'Daar is hij dan, de dood!' dacht Rivière, en hij voelde zich als de kapitein van een kapotte zeilboot op een oceaan zonder wind.

Hij hoorde Robineau's stem: 'Meneer de directeur... ze waren pas zes weken getrouwd...'

'Ga aan je werk.'

Rivière keek nog steeds naar de klerken en zag, achter hen, de assistenten, de werktuigkundigen, de vliegers, al die mensen die hem hadden bijgestaan in zijn werk met de overtuiging en inzet van mensen die iets op willen bouwen. Hij dacht aan de kleine steden waar mensen vroeger over 'de Antillen' hoorden spreken en toen een schip bouwden. Een schip vol van hun eigen hoop en verwachtingen. Opdat de mensen zouden kunnen zien hoe hun hoop haar zeilen bolde op zee. Al die mensen die boven zichzelf waren uitgestegen, allemaal bevrijd door dat ene schip. 'Het doel heiligt misschien wel niets, maar de daad verlost de mens van de dood. Die mannen leefden voort dank zij hun schip.'

En ook Rivière zal vechten tegen de dood, zodra hij de telegrammen hun betekenis, zijn wakende medewerkers hun rusteloosheid en zijn vliegers hun dramatische taak zal teruggeven. Wanneer het leven zijn werk weer bezieling zal geven, zoals de wind de zeilen van een schip op zee.

XX

Commodoro Rivadavia hoort niets meer, maar duizend kilometer verderop ontvangt Bahia Blanca
twintig minuten later een bericht: 'We gaan dalen.
Gaan nu de wolken in...'

Dan nog twee woorden van een raadselachtige
tekst ontvangen in Trelew: 'Zien niets...'

Zo gaat het nu eenmaal met de korte golf: dáár
ontvangt men, maar hier blijft het stil. En dan, zonder reden, verandert alles. De bemanning wier positie onbekend is, openbaart zich aan de levenden,
buiten de grenzen van tijd en ruimte, en op de witte
vellen papier van de radiostations zijn het al niet
meer dan seinende schimmen.

Is de brandstof al op of speelt de vlieger met het
restant zijn laatste kaart uit: de grond terugvinden

zonder te pletter te slaan?

De stem uit Buenos Aires gelast Trelew: 'Vraag het hem?'

Het radiostation lijkt wel een laboratorium: nikkel, koper, manometers, een netwerk van leidingen. De zwijgende marconisten in hun witte hemden lijken over een eenvoudig experiment gebogen. Met hun gevoelige vingers betasten ze de instrumenten, zoeken ze de ether af, wichelroedelopers op zoek naar de goudader.

'Geen antwoord?'

'Geen antwoord.'

Misschien zullen ze toch nog een teken van leven opvangen. Misschien zullen ze, als het vliegtuig met zijn boordlichten tussen de sterren opdoemt, die ster horen zingen...

De seconden verstrijken. Ze verstrijken als wegsijpelend bloed. Is de machine nog in de lucht? Iedere seconde betekent een kans. Een kans die even snel weer door de tijd kan worden vernietigd. Zoals de tijd in twintig eeuwen een tempel aantast, zijn weg vindt door het graniet en de tempel tot stof doet vergaan, zo ligt nu in iedere seconde het verwoestende werk van eeuwen besloten dat een bemanning bedreigt.

Met iedere seconde verdwijnt er iets. Fabiens stem, Fabiens lach, zijn glimlach. De stilte wint terrein. Een stilte die steeds drukkender wordt, die zich over de bemanning legt als het gewicht van een oceaan.

Iemand zegt: 'Een uur veertig. De brandstof is nu op: onmogelijk dat ze nog vliegen.'

En dan wordt het pas echt stil.

Er komt een laffe, bittere smaak op de lippen, als na een lange reis. Er heeft zich iets afgespeeld waarvan niemand weet heeft, iets dat een beetje misselijk maakt. En over al dat nikkel en koper hangt diezelfde triestheid als over een failliete fabriek. Al die machines die nu zwaar, overbodig, onbruikbaar lijken: het gewicht van dode takken.

Er rest niets anders dan de dag af te wachten. Over een paar uur zal het in heel Argentinië·weer licht zijn, maar zij zullen hier blijven, als op het strand, waar ze aan het net zullen blijven trekken, langzaam, zonder te weten wat het zal bevatten.

Rivière zit in zijn kantoor en voelt de opluchting die een mens alleen bij een grote ramp ervaart: wanneer het noodlot hem bevrijdt. Hij heeft de politie van een hele provincie laten waarschuwen. Verder kan hij niets doen; hij moet nu wachten.

Maar zelfs in het huis van de doden moet orde heersen. Rivière gebaart naar Robineau: 'Telegram voor de velden in het noorden: verwachten aanzienlijke vertraging voor de machine uit Patagonië. Om machine naar Europa niet te hoeven vertragen sturen we post uit Patagonië met de eerstvolgende koerier.'

Even buigt hij zich vermoeid voorover, maar dan

117

richt hij zich weer op en herinnert zich iets, iets belangrijks. O ja! En om het niet te vergeten: 'Robineau!'

'Meneer Rivière?'

'Je moet een dienstorder opstellen. De vliegers mogen niet met meer dan negentienhonderd toeren vliegen: ze draaien de motoren nog in de soep.'

'Goed, meneer Rivière.'

Rivière zakt wat verder voorover. Hij wil nu het liefst alleen zijn.

'Dat was alles, Robineau. Ga maar, ouwe jongen...'

En Robineau schrikt van die gelijkheid in het aanzien van de dood.

XXI

Robineau doolde somber door de kantoorvertrekken. Het leven van de maatschappij stond stil nu het
vertrek van de machine van twee uur was uitgesteld
tot de volgende ochtend. De employés liepen nog
rond, met gesloten gezichten, maar hun aanwezigheid was zinloos. Met regelmatige tussenpozen
kwamen nog de weerberichten van de velden in het
noorden door, maar hun 'onbewolkte hemel', hun
'volle maan' en hun 'windstil', riepen een beeld op
van een dor, verlaten koninkrijk. Een woestijn van
maanlicht en rotsen. Toen Robineau, zonder trou-
wens te weten waarom, een dossier doorbladerde
waarmee de chef de bureau bezig was, stond de chef
ineens voor hem om het terug te halen, met een
brutale houding en een gezicht van: 'Ben je ein-

delijk klaar? Dat is míjn dossier!' Die houding van een ondergeschikte trof de inspecteur onaangenaam, maar er schoot hem geen gepaste opmerking te binnen en geïrriteerd gaf hij het terug. De chef de bureau nam weer plaats met een air van gekrenkte majesteit. 'Ik had hem de laan uit moeten sturen,' dacht Robineau. Om zich een houding te geven, begon hij op en neer te lopen, zijn gedachten bij het drama. Dit drama betekende de genadeslag voor een heel beleid, en Robineau zuchtte onder een dubbele rouw.

Hij dacht weer aan Rivière, alleen, achter zijn bureau, die 'ouwe jongen' tegen hem had gezegd. Nog nooit had hij een man zo volledig alleen zien staan. Robineau voelde diep medelijden met hem. Hij formuleerde een paar zinnen die op de een of andere manier medeleven moesten uiten, moesten troosten. Hij raakte bezield door emoties die hemzelf bewonderenswaardig toeschenen. En zachtjes klopte hij op de deur. Geen antwoord. Hij durfde niet harder te kloppen in deze stilte en duwde de deur open. Rivière zat in zijn kamer. Voor het eerst liep Robineau bij Rivière binnen als een gelijke, als een vriend bijna of, zoals hijzelf dacht, als de sergeant die onder een kogelregen op de gewonde generaal toe stapt, hem vergezelt bij de aftocht en zijn kameraad wordt in ballingschap. 'Ik sta aan uw kant... wat er ook gebeurt,' leek Robineau te willen zeggen. Rivière zweeg en staarde met gebogen hoofd naar zijn handen. En Robineau, die nu voor hem stond, durfde niets te zeggen. Ook al was de leeuw verslagen, hij boezemde hem nog steeds ontzag in. Robineau bedacht steeds nieuwe en steeds verwardere frases om zijn toewijding te tonen, maar telkens als hij de ogen opsloeg, stuitte hij op dat voor driekwart gebogen hoofd, die grijze haren, die in verbittering samengeknepen lippen. Tenslotte raapte hij zijn moed bijeen: 'Meneer de directeur...'

Rivière hief zijn hoofd en keek hem aan. Hij ontwaakte uit een diepe overpeinzing, uit een andere wereld, en misschien had hij Robineau nog niet eens opgemerkt. Niemand zou ooit weten wat hij dacht, wat er door hem heen ging, welke smart voortaan op zijn hart zou drukken. Rivière keek langdurig naar Robineau, als was hij de levende getuige van het een of ander. Robineau voelde zich niet op zijn gemak. Hoe langer Rivière naar Robineau keek, hoe meer er rond zijn lippen een onbegrijpelijke ironie te lezen viel. Hoe langer Rivière naar Robineau keek, hoe meer Robineau bloosde. En hoe meer hij, zoals hij hier voor hem stond met zijn ontroerende goede wil en zijn onhandige spontaniteit, in zijn ogen de verpersoonlijking vormde van de menselijke dwaasheid.

Ontreddering maakte zich van Robineau meester. Zowel de sergeant als de generaal als de kogels bleken niet echt. Er gebeurde iets onverklaarbaars. Rivière keek hem nog steeds aan. En toen, ondanks zichzelf, herstelde Robineau zich en hij haalde zijn hand uit zijn linkerzak. Nog steeds keek

Rivière hem aan.

En eindelijk sprak Robineau, oneindig be-
schroomd, zonder te weten waarom: 'Ik ben gekomen om uw orders te ontvangen.'

Rivière keek op zijn horloge en zei, alsof het de
gewoonste zaak van de wereld was: 'Het is twee
uur. De machine uit Asuncion landt om twee uur
tien. Laat de machine naar Europa om twee uur vijf-
tien starten.'

En Robineau verspreidde het verbazingwekkende
nieuws: de nachtvluchten zouden niet worden gestaakt. Robineau richtte zich tot de chef de bureau:
'Breng me het dossier zodat ik het kan controleren.'

En toen de man het had gebracht zei hij: 'Wacht
maar even.'

En de chef de bureau wachtte.

XXII

Het toestel uit Asuncion meldde dat het zou gaan landen.

Zelfs in de moeilijkste uren had Rivière van telegram tot telegram zijn voorspoedige reis gevolgd. Te midden van alle ontreddering was dit zijn revanche; het bewijs dat zijn streven juist was. Deze voorspoedige vlucht was met zijn telegrammen de voorbode van duizend andere succesvolle vluchten. 'Er zijn niet iedere nacht cyclonen,' dacht Rivière, en: 'Zodra het parcours eenmaal is uitgezet, is er geen weg terug.'

Bij zijn terugvlucht uit Paraguay, die prachtige tuin vol bloemen, lage huizen en traag stromend water, was het toestel van veld naar veld voortgegleden, vlak langs een orkaan die voor deze bemanning geen enkele ster verduisterd had. Negen passagiers, gehuld in hun reisdekens, leunden tegen de cabineraampjes als waren het etalageruiten van een juwelier, want de stadjes van Argentinië spreidden een voor een al hun goud ten toon in de nacht, onder het blekere goud van de sterren. Voorin ondersteunde de vlieger met zijn handen zijn kostbare lading mensenlevens, als de bewaker van een kudde, zijn ogen wijd open vol maanlicht. Buenos Aires vulde de horizon al met een roze gloed en weldra zou de stad al haar edelstenen laten fonkelen, als een sprookjeskasteel. De telegrafist liet de laatste telegrammen aan zijn vingers ontsnappen, als de slotakkoorden van een sonate die hij hier in de lucht met zijn vingers vrolijk bijeen had getrommeld en waarvan Rivière de melodie begreep. Daarop haalde hij de antenne in, rekte zich uit, geeuwde en glimlachte: ze waren er bijna.

Na de landing trof de vlieger zijn collega van de machine naar Europa met de rug tegen zijn toestel geleund, de handen in de zakken.

'Vlieg jij vannacht?'

'Ja.'

'Is Patagonië binnen?'

'Daar wachten we niet op: hij is spoorloos. Goed weer gehad?'

'Prima weer. Is Fabien verdwenen?'

Ze spraken er verder nauwelijks over. Een diepe kameraadschap maakte woorden overbodig.

De postzakken uit Asuncion werden overgeladen

en de vlieger stond nog steeds roerloos, het hoofd achterover, met de nek tegen de cockpit, naar de sterren te staren. Hij voelde een tomeloze kracht in zich groeien die gepaard ging met een intens plezier.

'Klaar met laden?' klonk een stem. 'Goed, starten.' De vlieger verroerde zich nog steeds niet. Zijn motor werd nu in beweging gezet. Zo meteen zou hij in zijn schouders die tegen de machine leunden, voelen hoe het toestel tot leven kwam. Hij voelde zich gerustgesteld na al die tegenstrijdige berichten: wel vertrekken, niet vertrekken, vertrekken! Zijn mond opende zich half en in het maanlicht blonken zijn tanden als van een jong wild dier.

'Pas op met de nacht, hè!'

Hij hoorde de goede raad van zijn kameraad niet. Terwijl hij daar zo stond, de handen in de zakken, het hoofd achterover naar de wolken, de bergen, de zeeën en rivieren, kwam er een stille lach op zijn gezicht. Een lach die door hem heen trok als de wind door de bladeren en hem van top tot teen deed huiveren. Een bijna onmerkbare lach, maar sterker dan alle wolken, bergen, rivieren en zeeën samen.

'Wat is er met je?'

'Die idioot van een Rivière die me... die denkt dat ik bang ben!'

XXIII

Over een minuut zal hij over Buenos Aires vliegen en Rivière, die zijn strijd hervat, wil hem horen. Hij wil hem horen aankomen in de verte, zijn motor horen aanzwellen en wegsterven, als de ont-zagwekkende tred van een leger dat oprukt tussen de sterren.

Rivière loopt met de armen over elkaar langs de klerken. Voor een venster blijft hij staan luisteren en denkt na.

Als hij ook maar één vlucht had afgelast was de zaak van de nachtvluchten verloren geweest. Maar om de zwakken die zich morgen tegen hem zullen keren een slag voor te zijn, heeft hij opnieuw een bemanning de nacht in gestuurd.

Overwinning... nederlaag... die woorden betekenen niets. Het leven trekt zich niets aan van deze denkbeeldige voorstellingen en bereidt alweer nieuwe voor. Een overwinning kan een volk verzwakken, een nederlaag een ander volk doen herrijzen. De nederlaag die Rivière heeft geleden is misschien wel het begin van de werkelijke overwinning. Want het is alleen de loop der gebeurtenissen die telt.

Over vijf minuten zullen de radiostations de vliegvelden hebben ingelicht. Over vijftienhonderd kilometer zal de sidderende adem van het leven alle problemen hebben opgelost.

In de verte klinkt al dat zware orgelgeluid: het vliegtuig.

En Rivière keert met trage passen terug naar zijn werk, naar de klerken die onder zijn strenge blik buigen. Rivière de Grote, Rivière de Overwinnaar, die de zware last van zijn overwinning op de schouders torst.